exercices systématiques de

PRONONCIATION FRANÇAISE

COLLECTION LE FRANÇAIS DANS LE MONDE / B. E. L. C.
dirigée par André Reboullet

MONIQUE LÉON

exercices
systématiques de
PRONONCIATION FRANÇAISE

NOUVELLE ÉDITION

LIBRAIRIES HACHETTE ET LAROUSSE

Pour l'enseignement du français dans le monde
Une sélection bibliographique

Collection Le Français dans le monde — B.E.L.C.

M. BENAMOU. Pour une nouvelle pédagogie du texte littéraire
M. BOY. Formes structurales du français.
P. BURNEY et R. DAMOISEAU. La classe de conversation
E. COMPANYS. Phonétique française à l'usage des hispanophones.
M. CSECSY. De la linguistique à la pédagogie : le verbe français.
R. GALISSON. L'apprentissage systématique du vocabulaire. Tomes I et II
R. GALISSON. Inventaire thématique et syntagmatique du français fondamental.
M. LEON. Exercices systématiques de prononciation.
P. et M. LEON. Introduction à la phonétique corrective.
F. REQUEDAT. Les exercices structuraux.
E. WAGNER. De la langue parlée à la langue littéraire.

Collection « F »

P. BURNEY. Les verbes français
P. DELATTRE. Les exercices structuraux, pour quoi faire ?
A. REBOULLET. Guide pédagogique du professeur de français.
A. REBOULLET. L'enseignement de la civilisation française.
A. RIGAULT. Grammaire du français parlé.
A. SAUVAGEOT. Analyse du français parlé.

Pour les étudiants

Une collection TEXTES EN FRANÇAIS FACILE
Trois revues PASSE-PARTOUT, QUOI DE NEUF ? FEU VERT

Le français dans le monde

Revue des professeurs de français hors de France.

Un matériel pour la classe (leçons préparées, dossiers de grammaire et de civilisation, analyse et explication de textes).

Des études (pédagogie des langues vivantes, linguistique du français parlé et écrit, civilisation et littérature françaises).

Des informations sur l'enseignement du français, langue étrangère.

ISBN : 2-01-003749-9

TABLE DES MATIÈRES

I – Première partie

Caractéristiques articulatoires du français

II – Deuxième partie

L'intonation française

L'intonation et la syntaxe.

AVANT-PROPOS

Tout ce qui concerne l'articulation fait l'objet de la première partie de cet ouvrage, tout ce qui concerne le rythme et l'information française fait l'objet de la seconde partie. Loin de nous cependant l'idée que les deux aspects de la correction en classe (habitudes articulatoires considérées dans leurs aspects phonétiques et phonémiques d'une part et habitudes mélodiques comportant les problèmes d'accent, de rythme et d'intonation, d'autre part) doivent être envisagés à deux stades différents de l'enseignement et qu'une hiérarchie simpliste puisse être ainsi établie.

Dans la pratique quotidienne, le professeur fondera sur d'autres considérations la progression phonétique qu'il entend suivre et pourra déterminer l'ordre d'urgence d'après différents groupes de critères : par exemple, ce qui est nécessaire à la compréhension (phonèmes essentiels, éléments de l'accentuation et du rythme, schémas mélodiques significatifs), puis distinctions de type phonétique et schémas mélodiques expressifs, enfin tous les degrés menant à la perfection, ou bien critères d'ordre comparatif, ces deux groupes de critères se recoupant d'ailleurs.

Le recueil de Madame Léon est très riche, trop riche même pour le professeur qui s'adresse à des groupes d'étudiants étrangers homogènes sur le plan linguistique. Les exercices proposés se répartissent en deux catégories. Les oppositions phonologiques on donné lieu à une exploitation systématique ; nombre d'exercices se situent sur le plan paradigmatique. Mais le plan syntagmatique n'a pas été négligé pour autant : les exercices sur les contrastes dans la chaîne parlée reprennent une tradition corrective dont il ne faudrait pas sous-estimer l'efficacité.

Le professeur n'utilisera que ce dont il aura besoin. Le plan de ce recueil n'est pas un plan de cours systématique. Il est certainement bien préférable que le professeur aborde préalablement ou simultanément l'étude de l'Introduction à la Phonétique corrective de P. et M. Léon (nº 1 de notre collection). Cependant n'interviennent dans le texte de ce recueil d'exercices que le minimum de termes techniques et pratiquement aucun symbole phonétique. Nous avons voulu ainsi permettre à tous les professeurs de français langue étrangère, d'entrer de plain-pied dans un domaine assez nouveau pour certains d'entre eux et les amener à une étude plus approfondie en leur montrant, par l'utilisation immédiate qu'ils peuvent faire des exercices dans leur propre classe, la portée pratique que peut avoir une telle étude.

G. CAPELLE

Exercices enregistrés. Les exercices de ce manuel qui figurent sur les disques nᵒˢ 1, 2 et 3 de la série Le Français dans le Monde - B.E.L.C. sont signalés dans le livre par le signe O. Un trait horizontal indique l'endroit où s'arrête l'enregistrement d'un exercice donné. (Un trait vertical, qui figure aussi bien dans les exercices non enregistrés, indique qu'on doit opposer les exemples de droite à ceux de gauche, cf. p. 23).

Cette nouvelle édition regroupe en un seul volume les « Exercices systématiques » qui étaient répartis, dans les précédentes éditions, en deux fascicules.

PREMIÈRE PARTIE

CARACTÉRISTIQUES ARTICULATOIRES DU FRANÇAIS
HABITUDES PHONÉMIQUES ET PHONÉTIQUES

Ce fascicule étudie les principaux obstacles à la compréhension : les fautes d'*articulation* commises par les étrangers en français. Il s'agit parfois de conseils généraux (en attendant des études comparatives détaillées pour chaque langue). Néanmoins, tous les sons du système français, sur lesquels reposent des différences de sens (phonémique), sont étudiés les uns par rapport aux autres. La voyelle de l'article *le* (singulier) est présentée par rapport à celle du mot *les* (pluriel). Parallèlement aux problèmes articulatoires concernant la compréhension linguistique, on étudie les traits généraux du phonétisme français. Ce sont des habitudes phonétiques qui ne concernent plus les sons isolés, mais leur contexte accentuel, rythmique, intonatif, etc.

Il est bien évident qu'on pourra également se reporter très tôt au fascicule II, qui étudie spécialement les habitudes mélodiques du français. On a choisi de présenter les choses essentielles d'abord, mais c'est au professeur de juger de l'ordre d'urgence pour ses étudiants.

LEÇON 1

L'enchaînement consonantique

Type : *avec-une-amie*

Les exercices suivants sont valables pour tous les groupes linguistiques.

DÉFINITION / Lorsqu'un mot se termine par une *consonne prononcée* et que le mot suivant commence par une *voyelle*, la consonne finale du premier mot devient initiale du mot suivant.

Exemple :

avec une amie

— Le *c* final de *avec* se prononce au commencement du mot *une ;*
— le *n* final de *une* se prononce au commencement du mot *amie*. (Le *e* final de *une* ne se prononce pas.)
On prononce donc :

a - ve - cu - na - mie

CONSEIL PRATIQUE / La non-observation de cette loi phonétique fondamentale entraîne des fautes dans l'articulation, le rythme, etc., qui peuvent entraver la compréhension. Il faut s'entraîner à *enchaîner* les mots au lieu de les prononcer isolément. Mais il faut noter que cet enchaînement se fait essentiellement dans un groupe de mots qui représentent une même idée. (Voir p. 2, Fasc. II, groupe rythmique.)

EXERCICE I

Le l final des pronoms « il » et « elle » se prononce avec la première syllabe des verbes commençant par une voyelle. Imiter l'enregistrement.

ATTENTION. — Remarquer que les deux *l* de *elle* se prononcent exactement comme le *l* unique de *il*. Insister sur la différence *i/e* dans les pronoms personnels *il* et *elle*. Le *i* du pronom *il* est la seule marque distinctive du masculin par rapport au *e* du pronom féminin *elle*.

⊙ Il a faim	(1) Elle a faim
Il a soif	Elle a soif
Il a sommeil	Elle a sommeil
Il a peur	Elle a peur
Il a honte	Elle a honte
Il a mal	Elle a mal
Il a raison	Elle a raison
Il a tort	Elle a tort

---

(1) Un trait vertical entre deux colonnes indique qu'on doit opposer les exemples de droite à ceux de gauche. *Ex. : Il a faim* et *elle a faim.*

Il est fatigué		Elle est fatiguée	
Il est malade		Elle est malade	
Il est perdu		Elle est perdue	
Il est timide		Elle est timide	
Il est triste		Elle est triste	
Il est chic		Elle est chic	
Il est gai		Elle est gaie	
Il est bien		Elle est bien	

Il attend	Elle attend	Il y va	Elle en dit
Il espère	Elle espère	Il y reste	Elle en boit
Il arrive	Elle arrive	Il y passe	Elle en voit
Il oublie	Elle oublie	Il y demeure	Elle en sait
Il apprend	Elle apprend	Il y pense	Elle en veut
Il insiste	Elle insiste	Il y réfléchit	Elle en mange
Il écoute	Elle écoute	Il y touche	Elle en prend
Il observe	Elle observe	Il y réussit	Elle en reçoit

EXERCICE 2

Le t *des mots* cet *et* cette *doit passer à l'initiale du mot suivant :*

ATTENTION. — Pas de différence phonétique entre *cet* **et** *cette.*

☉	Cet hiver	☉	Cette année
	Cet été		Cette habitude
	Cet homme		Cette affaire
	Cet enfant		Cette idée
	Cet abbé		Cette histoire
	Cet expert		Cette envie
	Cet avion		Cette époque
	Cet obstacle		Cette odeur

Le l *des mots* quel *et* quelle *doit passer à l'initiale du mot suivant :*

ATTENTION. — Pas de différence phonétique entre *quel* **et** *quelle*

Quel ornement	Quelle utopie
Quel avantage	Quelle ordonnance
Quel officier	Quelle opinion
Quel héritage	Quelle élégance
Quel idéal	Quelle importance
Quel examen	Quelle origine
Quel habillement	Quelle époque
Quel imbécile	Quelle aventure

Le l *des mots* bel *et* belle *doit passer à l'initiale du mot suivant :*

ATTENTION. — Pas de différence phonétique entre *bel* **et** *belle.*

Un bel oiseau	Une belle année
Un bel enfant	Une belle histoire
Un bel avion	Une belle idée
Un bel amour	Une belle affaire
Un bel effet	Une belle époque
Un bel effort	Une belle armoire
Un bel ouvrage	Une belle armure
Un bel été	Une belle usine

La consonne m *du mot* même *doit passer à l'initiale du mot suivant :*

Le même oiseau	La même année
Le même avion	La même histoire
Le même enfant	La même idée
Le même amour	La même affaire
Le même agent	La même époque
Le même effet	La même armoire
Le même ouvrage	La même usine

EXERCICE 3

La consonne finale des mots ave**c**, toujou**rs**, pa**r**, pou**r**, *doit passer à l'initiale du mot suivant :*

⊙ Avec elle	⊙ Toujours aimable
Avec eux	Toujours écouté
Avec attention	Toujours applaudi
Avec amour	Toujours ensemble
Avec espoir	Toujours avec elle
Avec horreur	Toujours à l'heure
Avec une amie	Toujours en retard

Par amour	Pour eux
Par habitude	Pour elle
Par oubli	Pour avoir
Par inattention	Pour arriver
Par hasard	Pour exercer
Par exemple	Pour obtenir

Dans les mots comme notre, quatre, table, *le groupe final des deux consonnes* (tr, bl) *devient initial du mot suivant. On ne dit pas « notre ami », mais « no-tra-mi »* (le e final disparaît) (1).

Notre enfant	Votre enfant
Notre avantage	Votre avantage
Notre âge	Votre âge
Notre époque	Votre époque
Notre ouvrage	Votre ouvrage
Notre avion	Votre avion
Notre espoir	Votre espoir
Notre histoire	Votre histoire
Quatre enfants	Une table en bois
Quatre hommes	Un oncle aimable
Quatre heures	Le peuple américain
Quatre ans	Un article habile
Quatre avions	Une boucle étroite
Quatre autobus	Ça souffle encore
Quatre assiettes	Un socle en pierre
Quatre animaux	Il siffle avec ses doigts

PHRASES

Dans les phrases suivantes, tous les mots sont enchaînés, il ne doit pas y avoir d'arrêt dans l'émission de la phrase :

⊙ Elle est toujours aimable avec eux.

Il est seul avec un enfant.

Sa mère est allée en Amérique en avion.

Vous irez avec eux à huit heures et demie.

Cet été, elle voyage en Espagne et en Afrique.

C'est une femme aimable et très élégante.

C'est un homme agréable et très intelligent.

Il faut prendre une voiture et partir immédiatement.

REMARQUE. — Pour l'*intonation* de ces phrases, imiter aussi exactement que possible celle de l'enregistrement. Remarquer que la voix monte sur les syllabes surmontées d'une flèche montante et qu'elle descend sur les syllabes surmontées d'une flèche descendante.

___

(1) **Voir exercice** 5, p. 37, fasc. II.

LEÇON 2

L'enchaînement vocalique

Type : *j'ai eu un billet*

Les exercices suivants sont valables pour tous les groupes linguistiques.

DÉFINITION / Lorsqu'un mot se termine par une voyelle prononcée et que le mot suivant commence par une voyelle, il n'y a pas d'arrêt de la voix entre les deux voyelles : les deux voyelles sont **enchaînées.**

Exemple :   J'ai eu un billet.

Le phonème *eu* (qui se prononce comme le *u* de *tu*) suit immédiatement le phonème *ai* de *j'ai* sans coupure.

CONSEILS PRATIQUES / Remarquer que les voyelles enchaînées ne se prononcent pas sur le même ton et que cette mélodie aide beaucoup à éviter les coupures brusques. Se référer à l'enregistrement pour faire les exercices suivants, en imitant fidèlement la mélodie.

REMARQUE / L'enchaînement vocalique se fait essentiellement dans un groupe de mots qui représentent une même idée. (Voir p. 2, fasc. II, groupe rythmique.)

EXERCICE I

⊙ J'ai demandé un café   ⊙ Elle va au théâtre
J'ai demandé un thé   Elle va au cinéma
J'ai demandé un taxi   Elle va au marché
J'ai demandé un jeton   Elle va au bal
J'ai demandé un passeport   Elle va à la piscine
J'ai demandé un permis   Elle va à la boutique
J'ai demandé un témoin   Elle va à la crémerie
J'ai demandé un congé   Elle va à la mairie

Lundi à midi
Mardi à une heure
Mercredi à huit heures
Jeudi à onze heures
Vendredi après-midi
Samedi après-dîner
Dimanche après huit heures
A samedi ou à dimanche

La Hongrie	Là-haut	La hauteur	La houille
La Hollande	La haine	La halte	La housse

En janvier et en février	En juillet et en août
En février et en mars	En août et en septembre
En mai et en juin	En août et en décembre
En juin et en juillet	En janvier et en juin

EXERCICE 2

Présent	Passé composé
⊙ J'ai un billet	J'ai eu un billet
J'ai un livre	J'ai eu un livre
J'ai un visiteur	J'ai eu un visiteur
J'ai un bouton	J'ai eu un bouton
J'ai un diplôme	J'ai eu un diplôme
J'ai un journal	J'ai eu un journal
J'ai un procès	J'ai eu un procès
J'ai un voisin	J'ai eu un voisin

Présent	Passé composé
Il a une idée	Il a eu une idée
Il a une invitation	Il a eu une invitation
Il a une amende	Il a eu une amende
Il a une unité	Il a eu une unité
Il a une occasion	Il a eu une occasion
Il a une histoire	Il a eu une histoire
Il a une aventure	Il a eu une aventure
Il a une augmentation	Il a eu une augmentation

Présent	Passé composé
Il y a une affection	Il y a eu une affection
Il y a une inspection	Il y a eu une inspection
Il y a une attention	Il y a eu une attention
Il y a une impression	Il y a eu une impression
Il y a une émotion	Il y a eu une émotion
Il y a une extension	Il y a eu une extension
Il y a une édition	Il y a eu une édition
Il y a une intention	Il y a eu une intention

Imparfait	Passé composé
J'étais amusé	J'ai été amusé
J'étais étonné	J'ai été étonné
J'étais insulté	J'ai été insulté
J'étais assuré	J'ai été assuré
J'étais inspecté	J'ai été inspecté
J'étais impliqué	J'ai été impliqué
J'étais engagé	J'ai été engagé
J'étais oublié	J'ai été oublié

PHRASES

Répéter avec l'enregistrement.

Dans les phrases suivantes tous les mots sont enchaînés, il ne doit pas y avoir d'arrêt dans l'émission de la phrase :

⊙   J'ai voulu essayer moi aussi.

Ça a été difficile pour toi aussi.

Il n'est ni honnête ni habile.

Où est-il allé à huit heures ?

On a une idée erronée sur cette question.

Elle n'a pas hésité à y aller aussitôt.

Il a eu un succès extraordinaire lui aussi.

J'ai oublié mon imperméable en haut.

REMARQUE. — Pour l'intonation de ces phrases, imiter aussi exactement que possible celle de l'enregistrement. Remarquer que la voix monte sur les syllabes surmontées d'une flèche montante et qu'elle descend sur les syllabes surmontées d'une flèche descendante.

LEÇON 3

Opposition voyelle arrondie/voyelle écartée

Type : *le | les*

Les exercices suivants sont valables pour presque tous les groupes linguistiques. En particulier les langues latines, slaves, africaines, asiatiques et grecque.

DÉFINITIONS

— *Voyelle arrondie* = prononcée avec les lèvres arrondies (comme pour siffler). Signe conventionnel : ×.

— *Voyelle écartée* = prononcée avec les lèvres écartées (comme pour sourire). Signe conventionnel : ←→

UTILITÉ DE CETTE DISTINCTION / En français, un grand nombre de mots ne peuvent être distingués que par cette opposition :

Exemples :

Voyelle arrondie ×	*Voyelle écartée* ←→
ce	ces
deux	des
veux	vais
je	j'ai
	etc.

EXERCICE I

Il faut s'habituer à associer ces sons avec le mouvement des lèvres correspondant. Faire les exercices suivants avec un miroir, en écoutant l'enregistrement.

Singulier *Voyelle arrondie* ×	*Pluriel* *Voyelle écartée* ←→
⊙ Avec *le* professeur	Avec *les* professeurs
Avec *le* livre	Avec *les* livres
Avec *le* garçon	Avec *les* garçons
Avec *le* technicien	Avec *les* techniciens
Avec *le* serveur	Avec *les* serveurs
Avec *le* chauffeur	Avec *les* chauffeurs
Avec *le* porteur	Avec *les* porteurs
Avec *le* vendeur	Avec *les* vendeurs

Singulier	Pluriel
Voyelle arrondie ×	*Voyelle écartée* ⟵⟶
Pour *ce* professeur-là	Pour *ces* professeurs-là
Pour *ce* livre-là	Pour *ces* livres-là
Pour *ce* garçon-là	Pour *ces* garçons-là
Pour *ce* technicien-là	Pour *ces* techniciens-là
Pour *ce* serveur-là	Pour *ces* serveurs-là
Pour *ce* chauffeur-là	Pour *ces* chauffeurs-là
Pour *ce* porteur-là	Pour *ces* porteurs-là
Pour *ce* vendeur-là	Pour *ces* vendeurs-là

Singulier	Pluriel
Voyelle arrondie ×	*Voyelle écartée* ⟵⟶
Prends-*le*	Prends-*les*
Dis-*le*	Dis-*les*
Fais-*le*	Fais-*les*
Donne-*le*	Donne-*les*
Crois-*le*	Crois-*les*
Chante-*le*	Chante-*les*
Sors-*le*	Sors-*les*
Compte-*le*	Compte-*les*

Singulier	Pluriel
Voyelle arrondie ×	*Voyelle écartée* ⟵⟶
Monsieur	Messieurs

REMARQUE. — *On* dans *monsieur* se prononce comme *e* dans *le*. *Es* dans *messieurs* se prononce comme *es* dans *les*. Le *r* final ne se prononce jamais dans *monsieur*.

Bonjour monsieur.	Bonjour messieurs.
Oui monsieur.	Oui messieurs.
Non monsieur.	Non messieurs.
Mais certainément monsieur.	Mais certainément messieurs.
Avec plaisir monsieur.	Avec plaisir messieurs.
Bien entendu monsieur.	Bien entendu messieurs.
Au révoir monsieur.	Au révoir messieurs.
A bientôt monsieur.	A bientôt messieurs.

EXERCICE 2

Opposition entre :
— *je :* consonne arrondie + voyelle arrondie × ×
— *j'ai :* consonne arrondie + voyelle écartée × ⟵⟶

Présent	Passé composé	Présent	Passé composé
⊙ Je dis	J'ai dit	Il se dit	Il s'est dit
Je fais	J'ai fait	Il se fait	Il s'est fait
Je ris	J'ai ri	Il se teint	Il s'est teint
Je finis	J'ai fini	Il se plaint	Il s'est plaint
Je conduis	J'ai conduit	Il se joint	Il s'est joint
Je construis	J'ai construit	Il se bâtit	Il s'est bâti
Je bâtis	J'ai bâti	Il se réjouit	Il s'est réjoui
Je joins	J'ai joint	Il se conduit	Il s'est conduit

L'opposition dans l'exercice suivant, comme dans l'exercice précédent, entre le présent et le passé composé réside entre je et j'ai, mais dans le suivant : la fin du verbe n'est pas la même dans les deux temps. Le présent se termine par la consonne et le passé composé par la même voyelle écartée que dans ai.

Je marche	J'ai marché	Il se réveille	Il s'est réveillé
Je mange	J'ai mangé	Il se baigne	Il s'est baigné
Je travaille	J'ai travaillé	Il se lave	Il s'est lavé
Je répète	J'ai répété	Il se rase	Il s'est rasé
Je sonne	J'ai sonné	Il se coiffe	Il s'est coiffé
Je chante	J'ai chanté	Il se prépare	Il s'est préparé
Je demande	J'ai demandé	Il se brosse	Il s'est brossé
Je lave	J'ai lavé	Il se demande	Il s'est demandé

EXERCICE 3

1º Opposition entre :

— veux : *voyelle arrondie* × (*présent du verbe* vouloir)
— vais : *voyelle écartée* ←→ (*présent du verbe* aller).

Je *veux* partir	Je *vais* partir
Je *veux* changer	Je *vais* changer
Je *veux* manger	Je *vais* manger
Je *veux* boire	Je *vais* boire
⊙ Je *veux* dormir	Je *vais* dormir
Je *veux* finir	Je *vais* finir
Je *veux* chercher	Je *vais* chercher
Je *veux* trouver	Je *vais* trouver

2º Opposition entre :

— deux : *voyelle arrondie* ×
— des : *voyelle écartée* (*plusieurs*) ←→.

J'ai *deux* amis	J'ai *des* amis
J'ai *deux* livres	J'ai *des* livres
J'ai *deux* crayons	J'ai *des* crayons
J'ai *deux* camarades	J'ai *des* camarades
J'ai *deux* chapeaux	J'ai *des* chapeaux
J'ai *deux* frères	J'ai *des* frères
J'ai *deux* sœurs	J'ai *des* sœurs
J'ai *deux* professeurs	J'ai *des* professeurs

3º *Opposition entre :*
— je me : *voyelle arrondie* ×
— j'aime : *voyelle écartée* ←→.

Je m*e* lève	J'aime bien ça
Je m*e* lave	J'aime bien la classe
Je m*e* coiffe	J'aime bien l*e* chocolat
Je m*e* promène	J'aime bien les gâteaux
Je m*e* demande	J'aime bien la bière
Je m*e* couche	J'aime bien l*e* café
Je m*e* réveille	J'aime bien la musique

4º *Opposition entre des verbes de sens différents mais dont la seule différence phonétique est dans la première syllabe :*
— je : *consonne arrondie* + *voyelle arrondie* × ×
— j'e... : *consonne arrondie* + *voyelle écartée* × ←→.

Je sais	J'essaie	Je sors	J'essore
Je suis	J'essuie	Je sème	J'essaime

PHRASES

Répéter avec l'enregistrement.

⊙ J'ai peur que mon père ne soit pas à l'heure.

Sa mère meurt d'un cancer.

Elle a les yeux bleus.

Demandez du café au lait et du pain avec du beurre.

Il a eu mal au cœur au Caire.

Il y a un bouquet d*e* fleurs bleues dans l'entrée.

Elle est trop jeune pour voyager seule.

A quelle heure est-c*e* que sa sœur a téléphoné ?

REMARQUE. — Pour l'intonation de ces phrases, imiter aussi exactement que possible celle de l'enregistrement. Remarquer que la voix monte sur les syllabes surmontées d'une flèche montante, et qu'elle descend sur les syllabes surmontées d'une flèche descendante.

LEÇON 4

Opposition voyelle antérieure / voyelle postérieure

Type : *deux / dos*

___

Les exercices suivants sont surtout valables pour les langues d'Afrique, d'Asie et du Moyen-Orient.

DÉFINITIONS

— Voyelle *postérieure* = prononcée avec la langue en *arrière* (signe conventionnel →).

— Voyelle *antérieure* = prononcée avec la langue en *avant* (signe conventionnel ←).

EXEMPLES

Voyelle postérieure → o dans *dos*	*Voyelle antérieure* ← eu dans *deux*

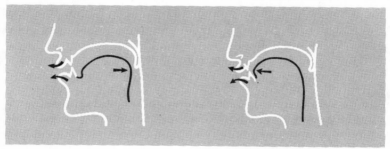

Fig. 1. — O.	Fig. 2. — EU.

— La langue est **en arrière**.
— Les mâchoires sont presque fermées.
— Les lèvres sont arrondies.

— La langue est **en avant**.
— Les mâchoires sont presque fermées.
— Les lèvres sont arrondies.

EXERCICE

Ici, le miroir ne peut pas aider, puisqu'il s'agit surtout de différencier la position de la langue, la bouche étant presque fermée et les lèvres *arrondies*. Faire les exercices en écoutant bien l'enregistrement et en associant le son au mouvement de la langue qui y correspond.

REMARQUE / Pour des raisons de simplification (surtout au niveau des débutants), on ne fera pas de différence, dans la présentation, entre les trois voyelles de je, jeu, jeune. L'étudiant doit se limiter à une imitation aussi exacte que possible de l'enregistrement.

Expressions et mots courants.

→	←	→	←
L'eau	Le	C'est gros	C'est creux
Caux	Queue	C'est haut	C'est eux
Dos	Deux	C'est beau	C'est mieux
Sot	Ceux	Je vaux	Je veux
Nos	Nœud	Tu vaux	Tu veux
Vos	Veux	Il vaut	Il veut
Faux	Feu	Ça vaut	Ça veut

Bonjour monsieur.　　　　　　　　　Mais certainement monsieur.
Je vous en prie monsieur.　　　　　Très heureux monsieur.
Oui monsieur.　　　　　　　　　　　Au revoir monsieur.
Non monsieur.　　　　　　　　　　　A bientôt monsieur.

PHRASES　Imiter l'enregistrement.

J'ai deux pots.

Un peu d'eau s'il vous plaît.

Un pot d'eau s'il vous plaît.

De l'eau chaude s'il vous plaît.

Je veux de l'eau.

Les deux autres.

Un petit peu.

Un petit pot.

Ceux-là sont vrais, ceux-là sont faux.

Mettez-les dos à dos tous les deux.

Quel beau feu !

Elle a une robe mauve et bleue.

Il y a trop de gens contre eux.

Il y a deux messieurs dans le hall.

C'est pour eux que je veux de beaux glaïeuls.

Mettez un gros morceau de beurre.

Elle a une deux-chevaux.

Elle a de beaux cheveux.

LEÇON 5

Opposition voyelle écartée / voyelle arrondie

Type : *lit / lu / loup*

Les exercices suivants sont valables pour tous les groupes linguistiques.

REMARQUES / Les Scandinaves et les Germaniques, bien que possédant un « u » dans leur langue, devront faire attention à bien arrondir les lèvres pour le « u » français, qui est plus labial que le leur.

Les Latins, les Slaves, les Turcs distinguent facilement à l'audition le « u » du « i ». Mais si les deux sons se trouvent à proximité l'un de l'autre, ils les confondent souvent dans la prononciation. Travailler avec le miroir : $i = \longleftrightarrow$, $u = \times$.

I OPPOSITION $\overset{\longleftrightarrow}{LIT}$ / $\overset{\times}{LU}$

Pour ces deux voyelles (antérieures), la langue est *en avant*, mais elles s'opposent ainsi :

Lit = voyelle écartée $\longleftrightarrow$ *Lu = voyelle arrondie* $\times$

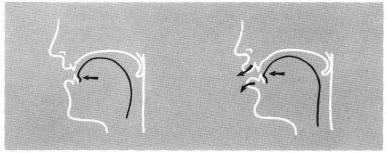

Fig. 3. — I.   Fig. 4. — U.

Même position de la langue pour les deux voyelles.

Lèvres écartées pour $i \longleftrightarrow$ / Lèvres avancées pour $u \times$.

CONSEIL PRATIQUE / Une faute courante (Japonais, Américains du Nord) consiste à faire précéder le *u* du son *yod* (son que représente le *y* du mot anglais *yes*). C'est parce que la langue est trop relevée contre le palais. Il faut l'abaisser et l'avancer, comme pour siffler.

Pour ces deux voyelles **arrondies**, les lèvres sont avancées dans la même position. Mais elles s'opposent ainsi :

Lu = *voyelle antérieure* ←   Loup = *voyelle postérieure* →

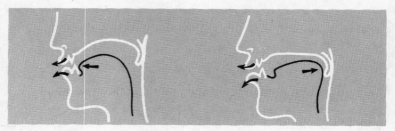

Fig. 5. — U.   Fig. 6. — OU.

Même position des lèvres pour les deux voyelles.

Langue avancée pour *u* ← / Langue reculée pour *ou* →.

REMARQUE / Le *ou* français est très postérieur. Il a un timbre très grave.

EXERCICE I

Travailler les oppositions suivantes *i / u / ou* avec un *miroir*, en écoutant l'enregistrement.

←→	×	×		←→	×		←→	×
⊙ si	su	sou	⊙ Je n'*y* vais plus		Il a *eu* peur			
chi	chu	chou	Je n'*y* suis plus		Il a *eu* faim			
fi	fu	fou	Je n'*y* pense plus		Il a *eu* soif			
vi	vu	vou	Je n'*y* habite plus		Il a *eu* honte			
ti	tu	tou	Je n'*y* couche plus		Il a *eu* mal			
mi	mu	mou	Je n'*y* déjeune plus		Il a *eu* raison			
ni	nu	nou	Je n'*y* travaille plus		Il a *eu* chaud			
cri	cru	crou	Je n'*y* vois plus		Il a *eu* froid			
pli	plu	plou						

× ←→	× ×	× ←→
Tu *y* publies	Tu doutes	J'étudie
Tu *y* souscris	Tu pousses	Tu étudies
Tu *y* réfléchis	Tu tousses	Il étudie
Tu *y* participes	Tu bouches	Elle étudie
Tu *y* joues	Tu bouges	Ils étudient
Tu *y* séjournes	Tu souffres	Elles étudient
Tu *y* contribues	Tu coupes	On étudie
Tu *y* réussis	Tu boudes	On n'étudie plus

EXERCICE 2 SPÉCIAL POUR LES ANGLOPHONES

En anglais, le groupe u + consonne *peut se prononcer de deux façons :*
— *soit* you *comme dans* pure [pju : r] ;
— *soit* eu *comme dans* surface [sœ : rfəs].

En français, dans les deux cas, la prononciation est la même, c'est un u pour lequel la langue ne s'appuie pas trop fortement contre le palais, (sinon il se dégage un yod) et pour lequel la langue est fortement poussée contre les dents inférieures (sinon le u devient eu).

Répéter les mots suivants, en écoutant l'enregistrement.

bureau	durable	bulbe	surtout
cubique	duplicata	buffet	subtil
cupide	furieux	culminer	succès
cure	curiosité	curriculum	surface

PHRASES

A répéter avec l'enregistrement.

⊙ J'ai l'habi*tu*de.

C'est *inu*tile.

C'est *suffi*sant.

C'est de la mus*i*que class*i*que.

C'est très *uti*le.

Non merci, je n'en veux pl*us*.

Ça lui a pl*u*.

Il a pl*u* du jeud*i* au sam*e*d*i*.

J'ai l*u* dans mon l*i*t.

On s'habi*tu*e à to*u*t.

C'est stup*i*de.

C'est j*us*tif*i*é.

C'est ab*u*sif.

S*i* j'avais s*u* !

Sa f*i*lle est tim*i*de.

Sa v*e*ste est hum*i*de.

Il est v*e*n*u* tout d*e* s*ui*te.

As-t*u* tout d*i*t ?

C'est no*u*s qui l'avons v*u*.

Pl*u*s du to*u*t !

Vive la Républ*i*que !

Cette fourr*u*re est jol*i*e.

Il a le f*ou* r*i*re.

C'est r*i*dicule.

Il y a beauco*u*p d'industr*i*es métallurg*i*ques.

D*i*x m*i*lle en p*e*t*i*tes coup*u*res, s'*i*l vous plaît.

30

LEÇON 6

Opposition un/une

Type : *c'est un ami / c'est une amie*

Les exercices suivants sont valables pour tous les groupes linguistiques.

I

UN + VOYELLE / UNE + VOYELLE
MASCULIN : UN / FÉMININ : UNE

Quand le mot qui suit commence par une voyelle, le *n* de *un* et le *n* de *une* se prononcent *avec cette voyelle*.

Ainsi le mot *ami* précédé de *un* ou de *une* devient *nami*, dans les deux cas. (Le *n* est prononcé très nettement, il n'y a pas de différence entre *un air* et *un nerf*, dans la prononciation). La seule différence entre le *masculin* et le *féminin* vient de la prononciation des voyelles de *un* et de *une*.

Masculin	Féminin
Le *N* fait partie du mot suivant. La voyelle de *UN* est « nasale » (l'air passe un peu par le nez en même temps que par la bouche).	Le *N* fait partie du mot suivant. La voyelle de *UNE* se prononce comme dans le mot *tu* (p. 16) elle n'est pas nasale.

CONSEIL PRATIQUE / Dans les exercices suivants, faire attention de ne pas raccourcir la voyelle de *un* et de *une*. Elle doit être *aussi longue* que les autres. *Ex. :* C'est *un ami* = 1, 2, 3, 4. Ecouter l'enregistrement et compter sur les doigts pour le rythme.

EXERCICE I

U(n)-nami	U-nami
⊙ C'est *un* ami	C'est *une* amie
C'est *un* élève	C'est *une* élève
C'est *un* abonné	C'est *une* abonnée
C'est *un* imbécile	C'est *une* imbécile
C'est *un* artiste	C'est *une* artiste
C'est *un* inconnu	C'est *une* inconnue
C'est *un* occidental	C'est *une* occidentale
C'est *un* enfant	C'est *une* enfant

II
UN + CONSONNE / UNE + CONSONNE

MASCULIN : U(N) / FÉMININ : UNE

Même différence que dans le premier cas pour la prononciation des deux voyelles : nasale/non nasale.
Mais : au masculin le *n* disparaît complètement.
Au féminin le *n* se prononce nettement.

CONSEIL PRATIQUE / Au masculin garder la pointe de la langue contre les dents inférieures pour prononcer *un*. Pas de *n* ! Si la consonne suivante est un *t* ou un *d*, bien séparer la voyelle nasale *un* du *t* ou du *d*. *Ex. : u(n) temps, u(n) dimanche.* Écouter l'enregistrement.

EXERCICE 2

⊙ C'est *un* communiste | C'est *une* communiste
C'est *un* monarchiste | C'est *une* monarchiste
C'est *un* nationaliste | C'est *une* nationaliste
C'est *un* syndicaliste | C'est *une* syndicaliste
C'est *un* violoniste | C'est *une* violoniste
C'est *un* pianiste | C'est *une* pianiste
C'est *un* touriste | C'est *une* touriste
C'est *un* cycliste | C'est *une* cycliste

Je l'ai mis dans *un* sac | Donnez-moi *une* boîte de Nescafé
Je l'ai mis dans *un* papier | Donnez-moi *une* bouteille de lait
Je l'ai mis dans *un* tiroir | Donnez-moi *une* partie du travail
Je l'ai mis dans *un* carton | Donnez-moi *une* pièce d'identité
Je l'ai mis dans *un* cendrier | Donnez-moi *une* semaine
Je l'ai mis dans *un* casier | Donnez-moi *une* journée
Je l'ai mis dans *un* livre | Donnez-moi *une* réponse
Je l'ai mis dans *un* coin | Donnez-moi *une* preuve

EXERCICE 3

Un/Une avec des noms différents au masculin et au féminin.

La plupart des mots ont un masculin et un féminin qui diffèrent par leur terminaison propre. Mais l'article *Un* ou *Une* doit suivre les mêmes règles que dans l'exercice précédent. Imiter l'enregistrement pour le changement de la voyelle.

⊙ C'est un fermier | C'est *une* fermière
C'est un crémier | C'est *une* crémière
C'est un tapissier | C'est *une* tapissière
C'est un pâtissier | C'est *une* pâtissière
C'est un cuisinier | C'est *une* cuisinière
C'est un charcutier | C'est *une* charcutière
C'est un cordonnier | C'est *une* cordonnière
C'est un meunier | C'est *une* meunière

C'est un nageur | C'est *une* nageuse
C'est un chanteur | C'est *une* chanteuse
C'est un danseur | C'est *une* danseuse
C'est un voyageur | C'est *une* voyageuse
C'est un blanchisseur | C'est *une* blanchisseuse
C'est un menteur | C'est *une* menteuse
C'est un voleur | C'est *une* voleuse
C'est un vendeur | C'est *une* vendeuse

PHRASES

Répéter en imitant aussi fidèlement que possible l'enregistrement.

⊙ Il y a un monsieur et une dame qui vous attendent.

Sa sœur a un garçon et une fille.

Donnez-moi une carafe d'eau et un comprimé d'aspirine, s'il vous plaît.

Voulez-vous un peu de vin et une brioche?

Je voudrais une baguette et un croissant, s'il vous plaît.

Avez-vous une gomme et un crayon à me prêter?

LEÇON 7

Opposition voyelles orales/voyelles nasales

Type : *beau / bon*

Les exercices suivan's sont valables pour tous les groupes linguistiques.

DÉFINITIONS / Une voyelle est *orale* lorsqu'elle est émise uniquement par la bouche. Le *o* du mot *beau* est oral.

Une voyelle est *nasale* lorsqu'elle est émise par la *bouche*, mais aussi *un peu* par le *nez*. Le *o* du mot *bon* est nasal.

QUAND UNE VOYELLE EST-ELLE NASALE ? / Parler français ne veut pas dire parler du nez. Il n'y a que quatre voyelles sur seize en français qui soient nasales, et le voisinage d'un *n* ou d'un *m* ne nasalise pas forcément la voyelle qui est avant ou après. Il faut donc savoir exactement quand une voyelle est nasale.

UNE VOYELLE EST NASALE DANS TROIS CAS SEULEMENT.

1º *Voyelle* + n *ou* m + *consonne* (le *n* ou le *m* ne sont pas prononcés) :

sympathique	envolé		honteux	lundi
[sẽpatik] (1)	[ã volé]		[õt̮ø]	[lœ̃di]

2º *Voyelle* + n *ou* m + *consonne non prononcée et finale* (le *n* ou le *m* ne sont pas prononcés) :

teint	champ		pont	défunt
[tẽ]	[ʃã]		[põ]	[defœ̃]

3º *Voyelle* + n *ou* m *en finale* (le *n* et le *m* ne sont pas prononcés) :

faim	bon	l'an	parfum
[fẽ]	[bõ]	[lã]	[parfœ̃]

Par contre, une **voyelle** + *n* **ou** *m* (**ou** *nn* **ou** *mm*) + **voyelle,** n'est pas nasale et le *n* ou le *m* est prononcé :

timide	fané	immobile	année
[timid]	[fane]	[imobil]	[ane]

---

(1) Dans l'alphabet phonétique international, une voyelle nasale est surmontée d'un tilde : UN = œ̃, IN = ẽ, AN = ã, ON = õ.

Voir *Introduction à la phonétique corrective*, P.-R. et M. Léon, Paris, Hachette, 1964.

EXERCICE I

Travailler les mots suivants avec les voyelles *non nasales* et les *voyelles nasales*, en imitant l'enregistrement.

Voyelles non nasales	*Voyelles non nasales*	*Voyelles nasales*	*Voyelles nasales*
nn ou *mm* prononcés comme un seul	*n* ou *m* prononcé	*n* ou *m* non prononcé	*n* ou *m* non prononcé
⊙ immobile	⊙ image	⊙ impossible	⊙ faim
inné	inutile	incroyable	fin
ennemi	énergie	entier	teint
ammoniaque	ami	ampoule	an
année	anormal	antenne	cent
anneau	analyse	anglais	temps
honnête	honorer	honteux	bon
connaître	tonique	content	font

FAUTE A ÉVITER / Dans de nombreuses langues, le voisinage d'une consonne nasale nasalise les voyelles environnantes. Par exemple, en américain du Nord, *John* se prononce avec un *o* nasalisé, en espagnol dans *corazon* le *o* final est aussi un *o* nasalisé. Il faut donc, avant d'entreprendre l'étude des voyelles nasales, travailler à dénasaliser les voyelles qui voisinent avec une consonne nasale.

CONSEILS PRATIQUES / Pour l'opposition :

voyelle orale + consonne orale / voyelle orale + consonne nasale.

Dans les trois mots : *bosse, botte, bonne*, la voyelle *o* est exactement la même. En effet, en français, la consonne qui suit (ou qui précède) une voyelle n'affecte pas celle-ci.

En imitant bien l'enregistrement, répéter pendant les pauses ces trois mots : *bosse, botte, bonne*, en essayant de reproduire *la même voyelle orale* chaque fois.

Il peut être utile de placer le bout des doigts, sans appuyer, sur la base de l'os du nez ; on ne doit pas sentir de vibration pour la voyelle *orale*, c'est-à-dire pour tous les exemples de cette leçon.

EXERCICE 2

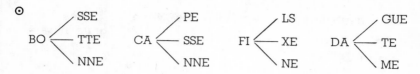

REMARQUE. — **Dans cet exercice, la consonne finale doit être bien explosive, comme si elle commençait une nouvelle syllabe.**

La voyelle est la même dans les mots suivants, qui ne s'opposent que par : consonne finale orale / consonne finale nasale.

⊙

fil	fine	⊙	date	dame
belle	benne		fade	femme
sec	Seine		os	homme
sol	sonne		semelle	semaine

PHRASES

Répéter avec l'enregistrement.

⊙ Bonjour Madame.

Jĕ vous en prie Madame.

Oui Madame.

Non Madame.

Mais certainĕment Madame.

A bientôt Madame.

Au revoir Madame.

Mes hommages Madame.

⊙ Elle est très fine.

J'en ai une.

Quel clown !

Elle a dŭ la peine.

Elle est trop jeune.

Elle est très bonne.

On sonne.

Il y a une panne.

LEÇON 8

Opposition voyelles nasales finales/voyelles orales
                    + consonne nasale

Type : *plein/pleine*

Les exercices suivants sont valables pour tous les groupes linguistiques.

DÉFINITION / Voir leçon précédente, page 21.

FAUTES A ÉVITER / Ne pas faire suivre la voyelle nasale d'une consonne nasale. Ne pas nasaliser la voyelle orale suivie d'une consonne nasale.

CONSEIL PRATIQUE / Pour la prononciation de la voyelle nasale, se référer surtout à l'audition : écouter l'enregistrement. (Pour la prononciation des voyelles nasales, voir p. 34 ; pour éviter la nasalisation des voyelles orales, voir pp. 21, 22, 23.)

EXERCICE I

Les exercices suivants présentent des adjectifs, des noms, des pronoms et des verbes contrastés, qui ne peuvent être distingués que par l'opposition : voyelle nasale finale/voyelle orale + consonne nasale finale.

Adjectifs et substantifs au masculin et au féminin :

Nasale	Orale	Nasale	Orale
plein	plei/ne	chien	chie/nne
sain	sai/ne	pharmacien	pharmacie/nne
moyen	moye/nne	opticien	opticie/nne
païen	païe/nne	doyen	doye/nne
certain	certai/ne	lycéen	lycée/nne
chrétien	chrétie/nne	européen	europée/nne
ancien	ancie/nne	américain	américai/ne
forain	forai/ne	musicien	musicie/nne

EXERCICE 2

Verbes à la troisième personne du singulier et du pluriel ; pronoms masculin et féminin :

Nasale	Orale	Nasale	Orale
⊙ il vient	ils vie/nnent	le mien	la mie/nne
il survient	ils survie/nnent	le tien	la tie/nne
il convient	ils convie/nnent	le sien	la sie/nne
il provient	ils provie/nnent	les miens	les mie/nnes
il tient	ils tie/nnent	les tiens	les tie/nnes
il maintient	ils maintie/nnent	les siens	les sie/nnes
il soutient	ils soutie/nnent		
il contient	ils contie/nnent		

PHRASES

Dans les phrases de cet exercice, il n'y a pas de voyelles nasales :

⊙ La bonne ferme le robinet.

La jeune femme donne une pomme à Jeanne.

J'aime beaucoup la Seine et ses quais.

Ta cousine te téléphone de la Sorbonne.

C'est une forme commode.

Il y a une semaine que la bonne est là.

Cette dame est née en Bourgogne.

Ils prennent la micheline à neuf heures.

Qu'est-ce que ça donne ?

Est-ce que ça vaut la peine ?

LEÇON 9

Opposition des voyelles nasales

Type : *un bon vin blanc*

Les exercices suivants sont valables pour tous les groupes linguistiques.

DÉFINITIONS / Voir leçon 7, page 21.

TABLEAU I
Opposition

Voyelles écartées			Voyelles arrondies		
1	ɛ̂	(vin)	2	œ̂	(un)
	⟷			×	
3	â	(blanc)	4	ɔ̂	(bon)
	⟷			×	

On peut opposer aussi les voyelles nasales par la position de la langue : antérieure et postérieure.

TABLEAU II
Opposition

Voyelles antérieures					
1	ɛ̂	(vin)	2	œ̂	(un)
	←			←	
Voyelles postérieures					
3	â	(blanc)	4	ɔ̂	(bon)
	→				→

FAUTE A ÉVITER / Ne pas laisser le timbre de la voyelle changer pendant son émission, surtout pour les Polonais, les Portugais et les Brésiliens, mais aussi pour les Latins, les Slaves, les Asiatiques, etc. Pour cela, tenir la voyelle sans changer la position de la langue et des lèvres. La terminer nettement, sans ajouter une consonne nasale.

EXERCICE I

⊙ *Travailler avec le miroir :*

A. — *Les voyelles* écartées :
　　　(1) [ɛ̃] (*vin*), *langue en avant* ← (1).
　　　(3) [ɑ̃] (*blanc*), *langue en arrière* →.

Écouter l'enregistrement et répéter les deux voyelles : [ɛ̃]... ; [ɑ̃]...

REMARQUE. — Symboles des voyelles nasales : voir p. 26.

B. — *Les voyelles* arrondies × :
　　　(2) [œ̃] (*un*), *langue en avant* ← ;
　　　(4) [ɔ̃] (*bon*), *langue en arrière* →.

Écouter l'enregistrement et répéter les deux voyelles : [œ̃]... ; [ɔ̃]...

C. — *Les voyelles* antérieures ← :
　　　(1) [ɛ̃] (*vin*), *lèvres écartées* ←→ ;
　　　(2) [œ̃] (*un*), *lèvres arrondies* ×.

Écouter l'enregistrement et répéter les deux voyelles : [ɛ̃]... ; [œ̃]...

D. — *Les voyelles* postérieures → :
　　　(3) [ɑ̃] (*blanc*), *lèvres écartées* ←→ ;
　　　(4) [ɔ̃] (*bon*), *lèvres arrondies* ×.

Écouter l'enregistrement et répéter les deux voyelles : [ɑ̃]... [ɔ̃]...

---

(1) Les numéros se rapportent aux tableaux I et II, p. 26.

40

EXERCICE 2

L'exercice suivant présente des voyelles nasales finales.

Répéter les mots du tableau suivant dans le sens horizontal, avec le miroir.

⊙	pain	pan	pont
	bain	banc	bon
	teint	temps	ton
	daim	dent	dont
	lin	lent	long
	sain	sans	son
	Blin	blanc	blond
	frein	franc	front

c'est bien	c'est blanc	c'est long
c'est plein	c'est grand	c'est bon
c'est sain	c'est franc	c'est non
c'est le mien	c'est quand ?	c'est rond
c'est fin	c'est dedans	c'est blond

REMARQUE. — La nasale *un* (œ̃) peut être remplacée par la nasale (ɛ̃), comme dans *vin*.

EXERCICE 3

Voyelles nasales à l'intérieur d'un mot.

La voyelle nasale doit être nettement séparée de la consonne suivante, le n ou le m n'étant pas prononcé. Type san/té *(Vérifier avec le miroir que la langue n'amorce pas le* n).

tein/turier	san/té	bon/jour
cin/quième	quan/tité	long/temps
⊙ bien/tôt	⊙ en/tier	⊙ ton/du
in/direct	tan/dis	con/fier
in/quiet	ban/quier	son/dage
im/possible	em/porter	tom/ber
sym/pathique	am/plifier	com/bat
sim/plifié	tem/pérature	com/bien

EXERCICE 4

Voyelles nasales finales suivies d'une consonne prononcée. Type : ban/de.
La consonne finale fait partie de la même syllabe que la voyelle nasale,
mais on ne doit pas entendre n ou m avant la consonne finale, qui doit
exploser.

⊙ cin/q
 sin/ge
 din/de
 <u>plain/te</u>
 sim/ple
 tim/bre
 crain/te

⊙ ten/te
 len/te
 ban/de
 <u>ban/que</u>
 Fran/ce
 trem/pe
 lam/pe

⊙ don/c
 on/ze
 mon/de
 <u>gon/fle</u>
 hon/te
 tom/be
 com/pte

EXERCICE 5

Formes courantes avec voyelles nasales :

informer	complètement	en partant	on s'attend
infini	certainement	en dînant	on s'arrange
inférieur	sainement	en disant	on se comprend
infirmier	rapidement	en nageant	on se demande
imparfait	lentement	en lisant	on s'entend
impossible	sincèrement	en chantant	on se détend
imbécile	bêtement	en sachant	on se range

Mangeons-en un.
Tendons-en un.
Attendons-en un.
Descendons-en un.
Arrangeons-en un.
Plantons-en un.
Rendons-en un.

1, 21, 31, 41, 51, 61, 81, 101...
5, 15, 25, 35, 45, 55, 65, 75...
30, 40, 50, 60, 100, 130, 140, 150...
11, 71, 91, 111, 171, 191, 211, 271...
100, 500, 105, 505, 531, 535, 555, 591...

EXERCICE 6

On remarquera la phonétique spéciale des adverbes formés sur des
adjectifs ou participes terminés par ent[â] ou ant[â] (qui se prononcent tous
deux [â]). La finale des adverbes se prononce amant, comme le substantif
amant, quelle que soit leur orthographe (se référer à l'enregistrement).

⊙
prudent	prudemment	courant	couramment
intelligent	intelligemment	notant	notamment
violent	violemment	élégant	élégamment

PHRASES

Imiter l'enregistrement pour l'intonation de ces phrases.

⊙ Attendez un instant, s'il vous plaît.

Oh ! je vous demande pardon !

C'est très important.

C'est très fatigant.

C'est bien simple.

J'ai attendu longtemps.

C'est impossible !

Sincèrement ?

Il y a des complications sans fin avec l'administration.

Mais non, voyons, ils ont raison !

Je suis très content.

Non, vraiment, je n'ai pas le temps.

Je voudrais un renseignement, s'il vous plaît.

Encore une seconde, s'il vous plaît.

Il n'y avait pas grand monde.

Mais non, voyons !

Tant mieux !

Tant pis !

Pensez-vous !

Mais naturellement !

Sans doute !

C'est long !

Forcément !

Encore !

Tous les combien ?

A dimanche !

LEÇON 10

Pas de liaison avec les voyelles nasales

Type : *Jean a une position unique*

Les exercices suivants sont valables pour tous les groupes linguistiques.

DÉFINITION / Si, dans un même groupe d'idées, un mot se termine par une voyelle + *n* ou *m* et que le mot suivant commence par une voyelle, le *n* ou le *m* n'est pas prononcé (en général) et il y a un enchaînement vocalique.

Exemple :

Jean a une position unique.

— le *n* de *Jean* n'est pas prononcé et la voyelle nasale [â] s'enchaîne avec la voyelle *a* du verbe avoir.

— le *n* de *position* n'est pas prononcé et la voyelle nasale [ô] s'enchaîne avec le *u* de *unique*.

FAUTES A ÉVITER :

La langue ne doit pas monter vers les dents supérieures pour une tentative de *n*. Les lèvres ne doivent pas tendre à se fermer pour une tentative de *m* (à vérifier dans le miroir).

Il ne doit pas y avoir de coupure brusque entre la voyelle nasale et la voyelle suivante. C'est un enchaînement vocalique. (Revoir la leçon 2, p. 6.)

EXERCICE I

Imiter l'enregistrement.

⊙ Le matin à neuf heures.
C'est un garçon intelligent.
Jean ira vous chercher à la gare.
Ce vin est délicieux, Madame.
Il y a une organisation admirable.
C'est une occasion unique.

⊙ C'est une question indiscrète.

Ah non alors !

Il est sain et sauf.

Selon eux, c'est faux.

Une veste en daim ou en cuir.

Mon pantalon est froissé.

Combien en voulez-vous ?

Je voudrais un bain à sept heures.

J'irai en juin ou en juillet.

Le chien est parti.

J'ai faim et soif.

C'est un parfum agréable

C'est un marin espagnol.

Un et un deux.

Le mien est perdu.

C'est plein à craquer.

Mon talon est cassé.

Il a un an et demi.

REMARQUE : Il n'y a qu'une seule différence phonétique entre les deux phrases suivantes : " Jean est là " et " J'en ai là ". Dans la première le n de *Jean* n'est pas prononcé, on ne fait pas la liaison, mais on fait un enchaînement vocalique. Dans la deuxième le n de *J'en* est prononcé, on fait la liaison avec n.

LEÇON 11

La liaison avec les voyelles nasales

Type : *on-attend un-ami*

DÉFINITION / En général, il n'y a pas de liaison avec les voyelles nasales (1). (Voir leçon 10, p. 31.) Cependant, dans un nombre de cas limités et définis, le *n* doit être prononcé à l'initiale du mot suivant, si celui-ci commence par une voyelle.

Exemple :

On-attend un-ami, doit être prononcé ô-nattend œ̃-nami.

FAUTES A ÉVITER / Le *n* ou le *m* dans ces cas définis ne doit pas être adouci. Il doit être clair, net, aussi fort que s'il était vraiment au commencement du mot suivant.

Exemple : Il n'y a pas de différence phonétique entre *un air* et *un nerf*, qu'on prononce tous deux [œ̃-ner] (la voyelle étant la même).

EXERCICE I

Liaison avec les mots un, aucun, bien, rien :

Répéter avec l'enregistrement.

⊙ *u-N*ami	⊙ *aucu-N*ami	⊙*bie-N*aimé	⊙ *rie-N*à dire
*u-N*élève	*aucu-N*élève	*bie-N*entendu	*rie-N*à faire
*u-N*abonné	*aucu-N*abonné	*bie-N*élévé	*rie-N*à lire
*u-N*imbécile	*aucu-N*imbécile	*bie-N*ennuyé	*rie-N*à mettre
*u-N*artiste	*aucu-N*artiste	*bie-N*écrit	*rie-N*en bois
*u-N*inconnu	*aucu-N*inconnu	*bie-N*utile	*rie-N*en pierre
*u-N*Occidental	*aucu-N*Occidental	*bie-N*exécuté	*rie-N*en métal
*u-N*enfant	*aucu-N*enfant	*bie-N*usé	*rie-N*en plastique

Pas de liaison après le mot un, *accenté :*

Il faut en donner un↗ / à Jean.

Il faut en prendre un↗ / en-haut.

Il faut en commander un↗ / ici.

---

(1) Voir P.-R. LÉON, *Aide-mémoire d'orthoépie*, Centre de linguistique appliquée de Besançon (pp. 70-77).

Il faut en trouver un / au moins.

Il faut en chercher un / à gauche.

Il faut en boire un / et partir.

Il faut en manger un / au maximum.

Il faut en jouer un / au violon.

EXERCICE 2

Liaison avec le mot on (*excepté s'il est placé après le verbe*) *et avec le mot* en (*excepté s'il est placé après le verbe*) (1).

⊙ O-N'attend un peu.
O-N'espère une occasion.
O-N'oublie quelques fois.
O-N'étudie à la bibliothèque.
O-N'est allé au cinéma.
O-N'essaye en France.
O-N'utilise une machine.
O-N'écoute en haut.

Attend-on/un peu ?
Espère-t-on/une occasion ?
Oublie-t-on/en travaillant ?
Étudie-t-on/à la bibliothèque ?
Les envoie-t-on à Paris ?
Essaye-t-on/en France ?
Utilise-t-on/une machine ?
Écoute-t-on/en haut ?

⊙ E-N'effet
E-N'arrivant
E-N'écoutant
E-N'insistant
E-N'or
E-N'argent
E-N'Italie
E-N'Espagne

Prenez-en/un peu.
Donnez-en/à Jean.
Faites-en/avec de la farine.
Dites-en/en anglais.
Portez-en/aux chiens.
Essayez-en/un.
Choisissez-en à droite.
Jouez-en/ensemble.

REMARQUE / Il n'y a pas de liaison avec *en* dans l'expression : en haut.

EXERCICE 3

Liaison avec les mots mon, ton, son :

⊙ mon-ami
mon-enfant
mon-avocat
mon-âge
mon-espoir
mon-idée
mon-histoire
mon-essai

ton-orchestre
ton-usine
ton-aventure
ton-habitude
ton-affaire
ton-attitude
ton-examen
ton-invention

son-estomac
son-ouvrier
son-aptitude
son-enseignement
son-origine
son-autobus
son-imagination
son-élève

(1) Voir *Aide-mémoire d'orthoépie*

EXERCICE 4

Liaison avec le mot bon *et les adjectifsterminés par la voyelle nasale* ɛ̃ : (certain, plein, moyen...).

Tous ces adjectifs, lorsqu'ils sont suivis d'un nom commençant par une voyelle, se prononcent de la même façon au masculin et au féminin.

Exemple : il n'y a pas de différence phonétique entre

Quel *bon* élève !   et   Quelle *bonne* élève !

Dans les deux cas, la voyelle de bon et bonne se prononce avec un o non nasal et le n est prononcé au début du mot suivant.

Imiter l'enregistrement.

◉

un bo-*N*ami	une bonne-amie
un bo-*N*avocat	une bonne-avocate
un bo-*N*étudiant	une bonne-étudiante
un bo-*N*élève	une bonne-élève
un bo-*N*époux	une bonne-épouse
un bo-*N*ouvrier	une bonne-ouvrière
un bo-*N*inspecteur	une bonne-inspectrice
un bo-*N*instituteur	une bonne-institutrice

un certai-*N*avocat	une certaine-avocate
un certai-*N*âge	une certaine-agitation
un certai-*N*individu	une certaine-individualité
un certai-*N*acteur	une certaine-actrice
un certai-*N*espoir	une certaine-espérance
un certai-*N*effort	une certaine-efficacité
un certai-*N*amour	une certaine-amitié
un certai-*N*accent	une certaine-assiduité

en plei-*N*air
en plei-*N*effort
un vilai-*N*animal
le Moye-*N*âge
le Moye-*N*Orient
le divi-*N*enfant

REMARQUE / La plupart des adjectifs terminés par une voyelle nasale se placent ordinairement après le nom qu'ils accompagnent. Divin est le seul adjectif en *in* qui se prononce *i*-n, dans l'expression le *divin enfant*.

LEÇON 12

Le E muet

Type : *probablement / samedi*

Les exercices suivants sont valables pour tous les groupes linguistiques.

DÉFINITION / Si, à l'intérieur d'un groupe, le e muet (qui s'écrit *E* ou *e*) est précédé *d'une seule consonne prononcée*, il n'est pas prononcé : *il tombe.*

Exemple : SAMEDI : entre le e et le a de *samedi*, il n'y a qu'une consonne prononcée, le *m*, donc le e n'est pas prononcé, *il tombe.* On prononce *samdi.*

Si le e muet est précédé de *deux consonnes prononcées*, il est prononcé, *il reste.*

Exemple : PROBABLEMENT : entre le e et le a de *probablement*, il y a deux consonnes prononcées *b* et *l*, donc le e est prononcé, *il reste.* On prononce *probablement.*

ATTENTION :

Si une consonne écrite = une consonne prononcée : e tombe.

<table>
<tr><td>samedi
1</td><td>mademoiselle
1</td></tr>
</table>

Si deux consonnes écrites = deux consonnes prononcées : e reste.

<table>
<tr><td>proba*b*lement
12</td><td>qua*t*re-vingts
12</td></tr>
</table>

Si deux consonnes écrites = une seule consonne prononcée : e tombe.

<table>
<tr><td>chan*t*erons
1</td><td>a*c*heté
1</td></tr>
</table>

Cette loi, valable pour un mot, est aussi valable pour un groupe de mots.

<table>
<tr><td>la petite
1</td><td>une petite
1 2</td></tr>
<tr><td>la fenêtre
1</td><td>la grande *f*enêtre
1 2</td></tr>
<tr><td>chez le docteur
1</td><td>pour le docteur
1 2</td></tr>
</table>

LEÇON 13

Le E muet ne se prononce pas

Type : *samedi*

Les exercices suivants sont valables pour tous les groupes linguistiques.

FAUTE A ÉVITER / Entre les deux consonnes qui se trouvent en contact par suite de la chute du e muet, il risque de se glisser un petit e.

CONSEIL PRATIQUE / Tenir compte de la position de la langue et des lèvres pour les consonnes en contact :

Exemple :

Il n'y a pas d̷e lettre

en même temps
- *D :* le bout de la langue s'appuie contre les dents supérieures.
- *L :* le bout de la langue s'appuie contre les dents supérieures.
- : la langue ne doit pas quitter les dents supérieures entre les deux consonnes (à vérifier dans le miroir).

Exemple :

Sam̷edi

en même temps
- *M :* les lèvres sont fermées.
- *D :* le bout de la langue s'appuie contre les dents supérieures.
- : la langue quitte les dents au moment où les lèvres s'ouvrent pour la fin du *m*.

EXERCICE I

⊙ Il n'y a plus d̷e thé
Il n'y a plus d̷e lait
Il n'y a plus d̷e sel
Il n'y a plus d̷e poivre
Il n'y a plus d̷e vin
Il n'y a plus d̷e bière
Il n'y a plus d̷e beurre
Il n'y a plus d̷e sucre

Ça vient d̷e là
Ça vient d̷e Chine
Ça vient d̷e France
Ça vient d̷e chez moi
⊙ Ça vient d̷e s'ouvrir
Ça vient d̷e casser
Ça vient d̷e s'arrêter
Ça vient d̷e bouillir

Il y a beaucoup de monde	Il n'y a pas beaucoup de monde
Il y a beaucoup de personnel	Il n'y a pas beaucoup de personnel
Il y a beaucoup de journalistes	Il n'y a pas beaucoup de journalistes
Il y a beaucoup de dactylos	Il n'y a pas beaucoup de dactylos
Il y a beaucoup de porteurs	Il n'y a pas beaucoup de porteurs
Il y a beaucoup de bureaux	Il n'y a pas beaucoup de bureaux
Il y a beaucoup de gens	Il n'y a pas beaucoup de gens
Il y a beaucoup de secrétaires	Il n'y a pas beaucoup de secrétaires

EXERCICE 2

⊙ Chez le docteur	Donnez-moi le verre	⊙ Tout le monde
Chez le médecin	Donnez-moi le plat	Tout le collège
Chez le dentiste	Donnez-moi le couvercle	Tout le personnel
Chez le pharmacien	Donnez-moi le couteau	Tout le secrétariat
Chez le boucher	Donnez-moi le saladier	Tout le voisinage
Chez le boulanger	Donnez-moi le bol	Tout le service
Chez le crémier	Donnez-moi le sel	Tout le laboratoire
Chez le cordonnier	Donnez-moi le poivre	Tout le trimestre

EXERCICE 3

⊙ Prenez ce verre-là	⊙ Ça se boit	Elle va se lever
Prenez ce plat-là	Ça se dit	Elle va se laver
Prenez ce couvercle-là	Ça se fait	Elle va se coiffer
Prenez ce couteau-là	Ça se voit	Elle va se maquiller
Prenez ce saladier-là	Ça se trouve	Elle va se préparer
Prenez ce bol-là	Ça se produit	Elle va se promener
Prenez ce sel-là	Ça se rencontre	Elle va se reposer
Prenez ce poivre-là	Ça se mange	Elle va se coucher

EXERCICE 4

⊙ A demain	⊙ Complètement	Il faut que vous partiez
La demande	Clairement	Il faut que vous veniez
La fenêtre	Certainement	Il faut que vous sachiez
La mesure	Bêtement	Il faut que vous chantiez
Un demi	Rapidement	Il faut que vous preniez
Un menu	Lentement	Il faut que vous disiez
Samedi	Franchement	Il faut que vous donniez
Mademoiselle	Sincèrement	Il faut que vous répétiez

EXERCICE 5

JE, *au commencement d'une phrase, se prononce généralement* J.

Je̸ *v*ous en prie.

Avec le miroir : *articuler un* J *assez long. Sans interrompre le* J, *mettre en contact la lèvre inférieure avec les dents supérieures pour le* V.

Je̸ m'habitue.

Avec le miroir : *articuler un* J *assez long. Sans interrompre le* J, *mettre en contact les deux lèvres pour le* M.

⊙
Je̸ vous en prie	Je̸ voudrais de̸ l'eau	Je̸ m'habitue
Je̸ vous assure	Je̸ voudrais de̸ l'argent	Je̸ m'habille
Je̸ vous admire	Je̸ voudrais de̸ l'essence	Je̸ m'imagine
Je̸ vous ai vu	Je̸ voudrais de̸ l'encre	Je̸ m'explique
Je̸ vous entends	Je̸ voudrais de̸ l'huile	Je̸ m'approche
Je̸ vous écoute	Je̸ voudrais de̸ l'orangeade	Je̸ m'ennuie
Je̸ vous attends	Je̸ voudrais de̸ l'aspirine	Je̸ m'étends
Je̸ vous aide	Je̸ voudrais de̸ l'air	Je̸ m'appuie

Quand JE *est suivi d'un mot commençant par* P, T, C (+ a, o, u), Q ou F S, CH, *il est prononcé comme* CH.

⊙ Je̸ pense   ⊙ Je̸ fais de̸ mon mieux
   Je̸ travaille   Je̸ sais
   Je̸ connais   Je̸ cherche
   Je̸ quitte   Je̸ change

PHRASES

Imiter l'enregistrement.

⊙ La pe̸tite fille a pris le̸ panier de̸ fraises dans le̸ jardin.

La se̸maine prochaine, il ira te̸ chercher le̸ soir.

J'ai oublié le̸ trousseau de̸ clés dans le̸ salon de̸ l'hôtel.

Prends ce̸ paquet-là et ne̸ l'oublie pas dans le̸ taxi.

Same̸di, la de̸moiselle décorera le̸ magasin de̸ son père.

J'y vais tout de̸ suite avant de̸ partir.

Il faut que̸ j'aille chercher le̸ chien de̸ mon amie de̸ Paris.

LEÇON 14

Le E muet se prononce

Type : *probablement*

Les exercices suivants sont valables pour tous les groupes linguistiques.

FAUTES A ÉVITER

A. — Que le e muet soit trop court. Le e muet, s'il est prononcé, est aussi long que les autres voyelles.

Exemple :

probablement
1 2 3 4

B. — Que le e muet ne soit pas assez arrondi.

CONSEILS PRATIQUES / Compter sur les doigts pour le rythme: le e muet prononcé, a la même longueur que les autres voyelles.
Le e muet est une voyelle arrondie; on le prononce en arrondissant les lèvres comme pour siffler. Le contrôler dans le miroir.

EXERCICE I

Il doit être fait en comptant le nombre de syllabes inscrites au-dessus de chaque exemple et en répétant avec l'enregistrement.

5 *syllabes*	5 *syllabes*
⊙ Qu'est-cø que vous voulez ?	⊙ Est-cø que vous partez ?
Qu'est-cø que vous mangez ?	Est-cø que vous dormez ?
Qu'est-cø que vous pensez ?	Est-cø que vous savez ?
Qu'est-cø que vous cherchez ?	Est-cø que vous sortez ?
Qu'est-cø que vous dømandez ?	Est-cø que vous trouvez ?
Qu'est-cø que vous buvez ?	Est-cø que vous lisez ?
Qu'est-cø que vous avez ?	Est-cø que vous dansez ?
Qu'est-cø que vous prenez ?	Est-cø que vous cherchez ?

3 *syllabes*	3 *syllabes*
Il **le** sait	Ils **le** savent
Il **le** fait	Ils **le** font
Il **le** voit	Ils **le** voient
Il **le** démande	Ils **le** démandent
Il **le** chante	Ils **le** chantent
Il **le** prend	Ils **le** prennent
Il **le** mange	Ils **le** mangent
Il **le** donne	Ils **le** donnent

EXERCICE 2

Dans les exercices suivants, les exemples n'ont pas tous le même nombre de syllabes. Il faut cependant que le e muet soit de la même longueur que les autres voyelles. Attention à bien arrondir les lèvres pour le e muet.

⊙ Avec **le** stylo
Avec **le** crayon
Avec **le** canif
Avec **le** pinceau
Avec **le** tire-ligne
Avec **le** fichier
Avec **le** classeur
Avec **le** pèse-lettres

⊙ Sur **le** tabouret
Sur **le** siège
Sur **le** front
Sur **le** toit
Sur **le** radiateur
Sur **le** piano
Sur **le** fauteuil
Sur **le** lit

Par **le** train
Par **le** métro
Par **le** boulévard
Par **le** jardin
Par **le** parc
Par **le** tunnel
Par **le** souterrain
Par **le** viaduc

Le hongrois
Le haut
Le havre
Le héros
Le hangar
Le hors-d'œuvre
Le hameau
Le hall

Pour **le** docteur
Pour **le** professeur
Pour **le** directeur
Pour **le** coiffeur
Pour **le** chauffeur
Pour **le** vendeur
Pour **le** facteur
Pour **le** consommateur

Rattrape **le** facteur
Arrête **le** bus
Arrange **le** bouquet
Appelle **le** garçon
Ferme **le** frigidaire
Rapporte **le** pain
Donne **le** pourboire
Laisse **le** chien

Elle ne sait rien	Une demande	Il me taquinait
Elle ne voit rien	Une fenêtre	Il me parlait
Elle ne dit rien	Une mesure	Il me dérangeait
Elle ne fait rien	Une demie	Il me racontait
Elle ne prend rien	Onze petites filles	Il me connaissait
Elle ne mange rien	L'appartement	Il me vexait
Elle ne donne rien	Le gouvernement	Il me guettait
Elle ne cherche rien	Au bord de la mer	Il me voyait

PHRASES

Imiter l'enregistrement, en vérifiant l'arrondissement des lèvres avec le miroir.

Qu'est-ce que c'est que ça ?

Est-ce que vous m'entendez ?

C'est une petite fenêtre qui donne sur le parc de la mairie.

Prenez-le mercredi ou vendredi à partir de dix heures.

Pose le bac de fleurs sur le bord de la terrasse.

Est-ce que leur gouvernement donne de l'argent pour ce service ?

Il faut un appartement pour le parlementaire de Norvège.

Qu'est-ce que vous dites de cette petite remarque ?

Qu'est-ce que vous en pensez ?

LEÇON 15

Les groupes figés

Type : *je ne sais pas*

Les exercices suivants sont valables pour tous les groupes linguistiques.

DÉFINITION / Certains groupes ne suivent pas la loi du e muet. Ils ne changent jamais, quel que soit leur entourage phonétique. Ils sont *figés*.

CONSEILS PRATIQUES / Le e est de la même longueur que les autres voyelles, attention au rythme.
Le e se prononce en arrondissant les lèvres (le vérifier au miroir).

EXERCICE I

3 *syllabes*	3 *syllabes*
⊙ Je né sais pas.	⊙ Je lé sais bien.
Je né veux pas.	Je lé vois bien.
Je né crois pas.	Je lé fais bien.
Je né pense pas.	Je lé dis bien.
Je né l'ai pas.	Je lé chante bien.
Je né trouve pas.	Je lé mange bien.
Je né dors pas	Je lé bois bien.
Je né mange pas.	Je le sens bien.

3 *syllabes*	3 *syllabes*
Je mé levais.	Jé te connais.
Je mé lavais.	Jé te prépare.
Je mé peignais.	Jé te commande.
Je mé rasais.	Jé te précise.
Je mé taisais.	Jé te répète.
Je mé cachais.	Jé te raconte.
Je mé poussais.	Jé te présente.
Je mé fâchais.	Jé te promets.

REMARQUE : Les groupes " je me " et " je le " peuvent être prononcés en supprimant l'un ou l'autre des e muets.

EXERCICE 2

3 *syllabes*	6 *syllabes*
⊙ C'est cø que jø veux.	C'est cø que mø disait Martine.
C'est cø que jø fais.	C'est cø que mø proposait Paule.
C'est cø que jø dis.	C'est cø que mø rappølait Brigitte.
C'est cø que jø pense.	C'est cø que mø demandait Claire.
C'est cø que jø vois.	C'est cø que mø suggérait Paul.
C'est cø que jø prends.	C'est cø que mø donnait André.
C'est cø que jø chante.	C'est cø que mø racontait Jean.
C'est cø que jø donne.	C'est cø que mø répondait Pierre.

⊙ Cø que lø ciel est bleu !	Cø que cø roman est bête !
Cø que lø vent est froid !	Cø que cø film est triste !
Cø que lø temps est gris !	Cø que cø ton-là vous va bien !
Cø que lø soleil est chaud !	Cø que cø vin est fort !
Cø que c'est joli !	Cø que cø café sent bon !
Cø que c'est beau !	Cø que cø bébé est mignon !
Cø que c'est grand !	Cø que cø gâteau est beau !
Cø que c'est triste !	Cø que cø garçon est sot !

EXERCICE 3

Jø suis certain de nø pas lø voir.
Jø suis certain de nø pas lø faire.
Jø suis certain de nø pas lø mettre.
Jø suis certain de nø pas lø dire.
Jø suis certain de nø pas lø rencontrer.
Jø suis certain de nø pas lø gêner.
Jø suis certain de nø pas lø regretter.
Jø suis certain de nø pas lø demander.

LEÇON 16

A *inaccentué*

Type : *j'ai mal à la tête*

Les exercices suivants sont valables pour les groupes anglo-saxons, et aussi pour les Turcs, les Iraniens, les Pakistanais et les Indiens.

DÉFINITION / Le *a* inaccentué est un *a* qui ne se trouve pas à la fin d'un groupe. Il doit être de la même longueur que les autres voyelles.

Exemple :

J'ai mal à la tête.
1   2   3 4   5

FAUTES A ÉVITER / *a*) que le *a* inaccentué soit plus court que les autres voyelles ;

b) qu'il soit différent des *a* accentués. Il doit avoir le même timbre (1).

CONSEILS / Compter sur les doigts pour le rythme. Le *a* inaccentué doit avoir la même longueur que les autres voyelles.
Le *a* est une voyelle prononcée avec le dos de la langue presque à plat, à peu près au milieu de la bouche, et les lèvres légèrement écartées.

REMARQUE / Ces exercices sont valables aussi pour la qualité du *a*, qui ne doit pas être articulé avec la langue trop en arrière (voir fig. 1). Les Turcs, les Iraniens, les Pakistanais et les Indiens doivent le travailler particulièrement de ce point de vue, en imitant l'enregistrement.

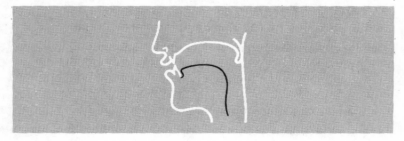

Fig. 7. — A.

---

(1) Voir P.R. et M. LÉON, *Introduction à la Phonétique corrective*, Paris, Hachette, 1964.

58

EXERCICE I

5 *syllabes*	5 *syllabes*	5 *syllabes*
⊙ J'ai mal à la tête	⊙ Il est à la plage	Il part avant moi
J'ai mal à la joue	Il est à la chasse	Il part avant toi
J'ai mal à la lèvre	Il est à la table	Il part avant lui
J'ai mal à la gorge	Il est à la gare	Il part avant elle
J'ai mal à la main	Il est à la barre	Il part avant nous
J'ai mal à la hanche	Il est à la rade	Il part avant vous
J'ai mal à la jambe	Il est à la cave	Il part avant eux
J'ai mal à la cheville	Il est à la page	Il part avant elles

5 *syllabes*	7 et 8 *syllabes*
Il va avoir faim	Il ira avec sa mère
Il va avoir soif	Il ira avec sa sœur
Il va avoir chaud	Il ira avec sa fille
Il va avoir froid	Il ira avec sa tante
Il va avoir tort	Il ira avec sa cousine
Il va avoir peur	Il ira avec sa belle-sœur
Il va avoir honte	Il ira avec sa grand-mère
Il va avoir mal	Il ira avec sa voisine

PHRASES

Répéter avec l'enregistrement en marquant le rythme.

⊙ Ah ! ça c'est bête alors !

Petit à petit j'ai pris l'habitude d'arriver à l'heure.

Allez chercher vos bagages à la gare en taxi.

C'est tout à fait facile à trouver.

Je vais aller prendre un café avec un de mes amis.

Où y a-t-il un bureau de tabac, s'il vous plaît ?

Je rentre à la maison cet après-midi vers quatre heures et demie.

Il faut d'abord que tu ailles retenir les places.

Tout à l'heure, il ira à la poste.

A demain ! A bientôt ! A tout à l'heure !

LEÇON 17

Opposition E muet / A non final

Type : *il te dit / il t'a dit*

Les exercices suivants sont valables pour tous les groupes linguistiques.

DÉFINITIONS / *E* muet est une voyelle écrite *e*, comme dans *le*, qu'on supprime quelquefois.
A non final, comme dans *la mode* ou *avec*, est prononcé de la même manière que lorsqu'il est final, comme dans *prends-la*, et il n'est jamais supprimé.

FAUTES A ÉVITER / Lorsque ces deux voyelles *e* et *a* ne sont pas finales, elles sont souvent confondues par les étrangers. Cette faute est grave : elle entraîne la confusion entre les articles masculin et féminin *le / la*, ainsi que celle des mêmes pronoms et des confusions entre *me / m'a / te / t'a* et *le / l'a*.

CONSEILS PRATIQUES / Pour éviter ces fautes, il faut faire attention à deux choses essentielles.
1º *La longueur*. — Ces voyelles ont strictement la même longueur que toute autre voyelle.

Exemples :

Il est avec le garçon
1 2 3 4 5 6 7

Il est avec la fillette.
1 2 3 4 5 6 7

2º *L'articulation*. — Ces deux voyelles sont articulées aussi nettement que les autres. Pour le *e* les lèvres sont *arrondies*. Pour le *a* elles ont une position *normale*, plutôt écartées.

EXERCICE I

Éviter en faisant les exercices suivants sur les oppositions E muet / A non final, *de trop insister sur ces voyelles, et de leur donner un accent de force qu'elles n'ont pas. Se reporter à l'enregistrement.*
Écouter l'enregistrement et répéter en rythmant et en comptant sur les doigts.

Sur le toit.
1 2 3

Sur la table.
1 2 3

— *Contrôler l'égalité des syllabes.*
— *Vérifier l'arrondissement des lèvres pour le E muet prononcé, avec un miroir.*

REMARQUE. — Dans les exercices suivants, le *E* muet est prononcé, les oppositions masculin/féminin ont la même longueur. Les oppositions verbales ont aussi la même longueur.

3 *syllabes*

⊙ par le train	par la gare	avec le chien	avec la chienne
par le chemin	par la route	avec le chat	avec la chatte
par le porche	par la porte	avec le père	avec la mère
par le haut	par la cave	avec le fils	avec la fille
par le mur	par la place	avec le fil	avec la laine
par le camp	par la tente	avec le châle	avec la robe
par le champ	par la haie	avec le livre	avec la gomme
par le toit	par la fénêtre	avec le sac	avec la hotte

4 *syllabes*

pour le garçon	pour la serveuse
pour le dentiste	pour la dentiste
pour le danseur	pour la danseuse
pour le facteur	pour la factrice
pour le marchand	pour la marchande
pour le caissier	pour la caissière
pour le boucher	pour la bouchère
pour le chimiste	pour la chimiste

3 *syllabes*

sur le mur	sur la place	Il le voit	Il la voit
sur le toit	sur la fénêtre	Il le sait	Il la sait
sur le dos	sur la tête	Il le fait	Il la fait
sur le fleuve	sur la mer	Il le prend	Il la prend
sur le châle	sur la robe	Il le chante	Il la chante
sur le lit	sur la table	Il le dit	Il la dit
sur le plat	sur la nappe	Il le donne	Il la donne
sur le pouf	sur la chaise	Il le laisse	Il la laisse

3 *syllabes*

Ils se battent	Ils s'abattent	Il le dit	Il l'a dit
Ils se vouent	Ils s'avouent	Il le fait	Il l'a fait
Ils se tirent	Ils s'attirent	Il le voit	Il l'a vu
Ils se pèlent	Ils s'appellent	Il le croit	Il l'a cru
Ils se lient	Ils s'allient	Il le prend	Il l'a pris
Ils se baissent	Ils s'abaissent	Il le plaint	Il l'a plaint
Ils se quittent	Ils s'acquittent	Il le met	Il l'a mis
Ils se gîtent	Ils s'agitent	Il le lit	Il l'a lu

REMARQUE. — Ce dernier **exercice peut être fait avec** *me/m'a* et *te/t'a*.

EXERCICE 2

Alternance de rythme: E muet supprimé / A non final prononcé.

Type :   chez l~~e~~ boucher / chez la bouchère

REMARQUE. — Bien noter la suppression du E muet. Tous les exemples au masculin sont plus courts d'une syllabe que l'exemple féminin correspondant. Les oppositions verbales ont aussi une alternance rythmique.

2 *syllabes*	3 *syllabes*	2 *syllabes*	3 *syllabes*
⊙ dans l~~e~~ champ	dans la ferme	et l~~e~~ chien	et la chienne
dans l~~e~~ plat	dans la tasse	et l~~e~~ chat	et la chatte
dans l~~e~~ train	dans la gare	et l~~e~~ fils	et la fille
dans l~~e~~ sac	dans la poche	et l~~e~~ frère	et la sœur
dans l~~e~~ cœur	dans la tête	et l~~e~~ père	et la mère
dans l~~e~~ lit	dans la chambre	et l~~e~~ vieux	et la vieille
dans l~~e~~ fleuve	dans la mer	et l~~e~~ jour	et la nuit
dans l~~e~~ bar	dans la salle	et l~~e~~ lis	et la rose

2 *syllabes*	3 *syllabes*
chez l~~e~~ garçon	chez la serveuse
chez l~~e~~ coiffeur	chez la coiffeuse
chez l~~e~~ dentiste	chez la dentiste
chez l~~e~~ facteur	chez la factrice
chez l~~e~~ marchand	chez la marchande
chez l~~e~~ boucher	chez la bouchère
chez l~~e~~ crémier	chez la crémière
chez l~~e~~ vendeur	chez la vendeuse

2 *syllabes*	3 *syllabes*	2 *syllabes*	3 *syllabes*
ni l~~e~~ chien	ni la chienne	on t~~e~~ dit	on t'a dit
ni l~~e~~ chat	ni la chatte	on t~~e~~ fait	on t'a fait
ni l~~e~~ fils	ni la fille	on t~~e~~ voit	on t'a vu
ni l~~e~~ frère	ni la sœur	on t~~e~~ croit	on t'a cru
ni l~~e~~ père	ni la mère	on t~~e~~ prend	on t'a pris
ni l~~e~~ vieux	ni la vieille	on t~~e~~ plaint	on t'a plaint
ni l~~e~~ jour	ni la nuit	on t~~e~~ met	on t'a mis
ni l~~e~~ lis	ni la rose	on t~~e~~ lit	on t'a lu

LEÇON 18

Mots terminés par consonne + R ou L + E muet

Type : *mon oncle*

Les exercices suivants sont valables pour tous les groupes linguistiques.

I LE MOT TERMINÉ PAR CONSONNE + R OU L + E EST FINAL DE GROUPE

Le e final tombe et le *r* ou le *l* est chuchoté, c'est-à-dire prononcé à voix basse (1).

Exemple :

C'est mon oncl(e).

FAUTE A ÉVITER / Ne pas dire un petit *e* à la fin.

CONSEIL / Arrêter la voix nettement sur la dernière consonne, en la disant à voix basse.

EXERCICE I

⊙ C'est mon oncl. e
Il ronfl. e
C'est du sabl. e
Sur la tabl. e
Ça enfl. e
Ça souffl. e

⊙ Il y a trois kilomètr. e s
Il y en a quatr. e
C'est un autr. e
Jé vais répondr. e
Il faut lé mettr. e
Je vais attendr. e

I I LE MOT TERMINÉ PAR CONSONNE + R OU L + E EST A L'INTÉRIEUR D'UN GROUPE

A. — *Il est suivi d'une voyelle.* — Le e tombe et les deux consonnes finales deviennent initiales du mot suivant, selon la loi de l'enchaînement consonantique (voir p. 2, chap. 1).

Exemple :

C'est mon oncle Édouard
se prononce : C'est-mo-non-clédouard.

---

(1) Le *r* et le *l* chuchotés seront marqués d'un point au pied à droite de la lettre. Exemple: oncl. e, maîtr. e.

CONSEIL PRATIQUE / Monter sur la dernière syllabe avant le groupe : *consonne* + *r* ou *l*, et descendre sur la première syllabe du mot suivant.

Exemple :

C'est-mo-non-clédouard

EXERCICE 2

Imiter aussi fidèlement que possible la mélodie des deux syllabes enchaînées.

C'est mon oncle Édouard.

Il ronfle un peu.

C'est du sable et des cailloux.

Elle est souple et gracieuse.

Sur la table en bois.

Ça enfle un peu.

Ça gonfle à la chaleur.

Ça souffle encore.

Il y a trois kilomètres à faire.

Il y a quatre enfants.

C'est un autre étudiant.

En octobre au plus tard.

Je vais répondre au téléphone.

Il faut le mettre à jour.

Entre au salon.

Je vais attendre en haut.

B. — *Il est suivi d'une consonne.* — *Si c'est une consonne* + l + e, *le* e reste. Il est prononcé sur un ton beaucoup plus bas que la voyelle précédente qui, elle, monte.

Exemple :

C'est mon oncle Pierre.

La voix monte sur le *on* de *oncle*, et elle descend sur le *e* final de *oncle*, qui est prononcé avec les deux consonnes qui le précèdent.

C'est mo-non-clè Pierre.

CONSEIL / Dire la syllabe : *consonne* + l + e très bas et assez courte ; imiter l'enregistrement.

EXERCICE 3

C'est mon oncle Pierre.	Sur la table du salon.
Il ronfle fort.	Ça enfle toujours.
C'est du sable blanc.	Ça gonfle beaucoup.
Elle est souple comme lui.	Ça souffle davantage.

— *Si c'est : consonne + r + e, il y a deux traitements possibles.*

STYLE SOIGNÉ / Le e final est prononcé avec le groupe : consonne + r, sur un ton plus bas, comme dans l'exercice précédent avec le *l*.

Exemple :

Il y a trois kilomè-tres par le raccourci.

STYLE FAMILIER (qui n'est pas vulgaire). / Le e final n'est pas prononcé, et le r n'est pas prononcé non plus.

Exemple :

Il y a trois kilomèt-par le raccourci.

L'exercice suivant présente les mêmes exemples, dits des deux façons différentes. Se référer à l'enregistrement.

Style soigné	*Style familier*
Il y a trois kilomètres par le raccourci.	Il y a trois kilomèt-par le raccourci.
Il y a quatre portes.	Il y a quat-portes.
C'est un autre professeur.	C'est un aut-professeur.
En octobre si vous voulez.	En octob-si vous voulez.
Je vais répondre tout de suite.	Jé vais répond-tout de suite.
Il faut lé mettre demain.	Il faut lé mett-demain.
Entre dans lé salon.	Ent-dans lé salon.
Jé vais attendre là-bas.	Jé vais attend-là-bas.

EXERCICE 4

Le e muet peut être tonique : dans le pronom le, et quel que soit son entourage phonétique, il est toujours prononcé.

S'il n'est pas final de phrase, il monte ; s'il est final, il descend.

CONSEILS PRATIQUES / Le e est aussi long que les autres voyelles. Le e se prononce en arrondissant les lèvres (travailler avec le miroir et l'enregistrement).

A l'intérieur	*A la fin*
⊙ Dis-lé à ta mère.	⊙ Dis-lè.
Fais-lé avant dé partir.	Fais-lè.
Prends-lé si tu veux.	Prends-lè.
Donne-lé-moi.	Donne-lè.
Sors-lé mainténant.	Sors-lè.
Chante-lé pour elle.	Chante-lè.
Danse-lé avec lui.	Danse-lè.
Bois-lé avant lé repas.	Bois-lè.
Mange-lé vite.	Mange-lè.
Lis-lé cet après-midi.	Lis-lè.

LEÇON 19

Opposition OUÉ/UÉ

Type : *oui, huit*

Les exercices suivants sont valables pour tous les groupes linguistiques.

DÉFINITION / Les deux sons : *oué* et *ué* sont prononcés respectivement avec la même position des lèvres et de la langue que *ou* et *u*, mais ils sont toujours suivis d'une voyelle avec laquelle ils sont prononcés en une seule syllabe.

Exemple :

oui	huit
1	2

Oui	Huit
— Les lèvres sont arrondies × (vérifier avec le miroir).	— Les lèvres sont arrondies × (vérifier avec le miroir).
— La langue est en arrière → (comme pour *ou*).	— La langue est en avant ← (comme pour *u*).

Entre *oué* et *ué* et la voyelle qui suit, les lèvres doivent se contracter plus fortement (à vérifier avec le miroir).

Lorsqu'on prolonge ces deux sons, on entend à la fois les vibrations des cordes vocales (comme lorsqu'on prolonge une voyelle), et le bruit du passage de l'air entre les lèvres (comme lorsqu'on prolonge une consonne du type : *s*).

FAUTES A ÉVITER ET CONSEILS PRATIQUES / Les fautes sont différentes selon les groupes linguistiques.

Pour les Anglo-Saxons, les Slaves, les Arabes : le *ué* est généralement prononcé comme *oué*.

Oui se prononce à peu près comme le mot anglais *we*. A partir de là, prononcer *huit*, en gardant la même position des lèvres que pour *we*, mais en avançant considérablement la langue, comme pour *u*, ou comme pour siffler.

Il peut arriver aussi qu'un *oué* se fasse entendre entre le *ué* bien prononcé et la voyelle qui suit. Pour *huit*, on entend *hu-ouit*. Il faut bien contrôler la position de la langue qui ne doit pas reculer.

Pour les Germaniques, les Scandinaves, les Turcs, les Océaniens, les Birmans, les Afghans :
— Le *oué* est souvent prononcé en deux syllabes, comme *o-e*.

Il faut reculer la langue au fond de la bouche, dans la position du *ou*, et pour n'en faire qu'une syllabe, il faut, immédiatement avant la voyelle, faire une pression plus grande avec l'arrondissement des lèvres (à vérifier à l'aide du miroir).

— La lèvre inférieure est souvent en contact avec les dents supérieures pour commencer le *oué* (on entend *voui* au lieu de *oui* et *vit* au lieu de *huit*). Cela ne doit pas être : vérifier à l'aide du miroir que la lèvre inférieure ne touche pas les dents supérieures.

— Quelquefois, dans l'articulation du *ué*, il se produit un petit *i* entre le *ué* et la voyelle suivante, et on entend par exemple *tu-ié* au lieu de *tué*. Le dos de la langue ne doit pas monter se coller en haut du palais.

Pour les *Asiatiques* (Thaïlandais, Indochinois, Japonais, Coréens, Chinois) et pour beaucoup d'*Africains*, la voyelle qui suit le *oué* et le *ué* est en général trop courte. Par exemple pour *huit*, on entend HUiT, alors qu'on devrait entendre plutôt HuIIIIT. Il faut tenir la voyelle plus longtemps. En tenant compte de toutes ces fautes à éviter, selon les groupes linguistiques, et des conseils pratiques, faire les exercices suivants avec le miroir et l'enregistrement.

EXERCICE 1

Opposition oué / ué :

⊙		
Oui		Huit
Louis		Lui
Nouée		Nuée
Bouée		Buée
Rouée		Ruée
Loueur		Lueur
Enfouir		Enfuir

— Lèvres arrondies ×   — Lèvres arrondies ×
— Langue en arrière →   — Langue en avant ←

EXERCICE 2

⊙ Je *suis* étudiant	⊙ C'est *lui* qui parle	J'ai h*ui*t ans
Je *suis* chimiste	C'est *lui* qui écrit	J'ai dix-h*ui*t ans
Je *suis* pianiste	C'est *lui* qui dicte	J'ai vingt-h*ui*t ans
Je *suis* dentiste	C'est *lui* qui chante	J'ai trente-h*ui*t ans
Je *suis* Français	C'est *lui* qui décide	J'ai quarante-h*ui*t ans
Je *suis* Japonais	C'est *lui* qui achète	J'ai cinquante-h*ui*t ans
Je *suis* Suisse	C'est *lui* qui travaille	J'ai soixante-h*ui*t ans
Je *suis* Suédois	C'est *lui* qui voyage	J'ai soixante-dix-h*ui*t ans

EXERCICE 3

⊙ Il faudrait qu'il puisse partir   Je suis ici depuis deux jours
Il faudrait qu'il puisse finir   Je suis ici depuis huit jours
Il faudrait qu'il puisse venir   Je suis ici depuis quinze jours
Il faudrait qu'il puisse sortir   Je suis ici depuis mardi
Il faudrait qu'il puisse dormir   Je suis ici depuis janvier
Il faudrait qu'il puisse conduire   Je suis ici depuis l'hiver
Il faudrait qu'il puisse écrire   Je suis ici depuis l'été
Il faudrait qu'il puisse courir   Je suis ici depuis l'automne

EXERCICE 4

Attention au r :

⊙	
froid	fois
proie	poids
broie	bois
droit	doit
trois	toi
croix	quoi
le roi	loi

EXERCICE 5

On ne doit entendre ni un *V* ni un *F* entre la consonne et le OUÉ ou le UÉ ; contrôler au miroir.

⊙ poids   ⊙ bois   soi   des oies
poil   boîte   soie   des zouaves
poêle   bouée   soir   des oiseaux
poire   boisé   soin   des ouailles
point   boiserie   soigner
pointu   boiteux   soixante

EXERCICE 6

Le *V* et le *F* doivent être bien prononcés avec la lèvre inférieure contre les dents supérieures ; à vérifier avec le miroir.

⊙ fois   ⊙ voix   foire   voiture
foi   voile   foin   vouer
foie   voisin   fouet   voilette

PHRASES SPÉCIALES POUR GERMANIQUES ET SCANDINAVES

⊙ Mes voisins sont revenus de la foire en voiture.
La voilette est dans une boîte en bois.
Quelquefois, dans l'ouest, on boit du jus de poires.
Il faut beaucoup de soins pour ces soixante oies.
Je dois acheter de la soie pour me faire faire une robe du soir.

PHRASES

Répéter avec l'enregistrement.

⊙ Je suis ici depuis huit jours.
Un bifteck bien cuit, s'il vous plaît.
Deux petits suisses, s'il vous plaît.
Un peu d'huile, s'il vous plaît.
Essuyez-vous les mains.
Je suis ennuyé.
J'ai appuyé sur la sonnette.
J'ai vu les actualités.

J'en suis persuadé.
Suivez-moi par ici.
Il s'est tué en voiture.
J'irai en Suède en juin.
J'irai en Suisse en juillet.
Il faut s'y habituer.
Et la suite ?
Je me suis piqué avec une aiguille.
Ils ont distribué des tracts.
Prenez une cuiller pour remuer votre café.
J'aime bien la cuisine chinoise.
Il a été blessé à la cuisse.
Il s'est ruiné dans des mines de cuivre.
Il y a des truites dans le ruisseau.
J'aime bien la pluie.
Le tuyau est crevé.
Quelle tuile !

LEÇON 20

Le YOD

Type : *payé*

DÉFINITION / Le YOD se prononce à peu près comme le I, mais il est toujours *suivi* ou *précédé* d'une voyelle, et il s'articule avec la langue plus fortement appuyée contre le palais que pour le I.

FAUTES A ÉVITER ET CONSEILS PRATIQUES / Les fautes sont différentes selon les groupes linguistiques.

Pour les *Anglophones* : il y a trois façons différentes de prononcer un YOD en anglais, selon sa position dans le mot :

— à l'initiale, comme dans *yes* ;

— au milieu, comme dans voy*age* ;

— à la fin, comme dans bo*y*.

En français, quelle que soit sa place, le YOD se prononce toujours comme celui de yes :

— à l'initiale : hier ;

— au milieu : voyage ;

— à la fin : fille.

Pour les *Germaniques*, *les Scandinaves :* le YOD final entraîne un changement dans le timbre de la voyelle qui précède. Faire une voyelle sans en changer le timbre, c'est-à-dire, sans changer la position de la langue et des lèvres.

Pour les *Asiatiques* et *les Africains :* la voyelle qui suit le YOD est souvent trop courte. Pour CIEL par exemple, on entend CIeL, alors qu'on devrait entendre plutôt CIEEEEL.

Pour les *Hispanophones* et les *Japonais :* selon le pays ou la région, ils peuvent confondre le YOD et J, par exemple dans : *les jette / layette.*

En tenant compte de toutes ces fautes à éviter, selon les groupes linguistiques et des conseils pratiques, faire les exercices suivants, avec le miroir et l'enregistrement.

EXERCICE I

Pour tous les groupes linguistiques, sauf pour les Hispanophones et les Japonais, qui trouveront des exercices spéciaux à la page 60.

1º *YOD initial / YOD intervocalique.*

⊙ hier   ⊙ billet
    y a-t-il   payé
    hiatus   merveilleux
    yoyo   voyage
    ion   bailler
    yaourt   mouillé
    hiéroglyphe   Neuilly
    hiérarchie   fouiller

2º *Le YOD final doit être articulé avec les lèvres dans la position qu'elles occupent pour la voyelle qui le précède.*

Exemples :

— FILLE : le YOD de fille s'articule avec les lèvres écartées, comme pour I.

— PAILLE ; le YOD de paille s'articule avec les lèvres un peu plus ouvertes et légèrement écartées, comme pour A.

— FOUILLE : le YOD de fouille s'articule avec les lèvres très fortement arrondies, comme pour OU.

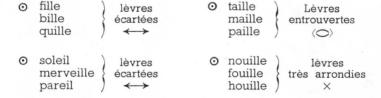

⊙ fille   } lèvres   ⊙ taille   } Lèvres
   bille   écartées   maille   entrouvertes
   quille   ←→   paille   ⟨◯⟩

⊙ soleil   } lèvres   ⊙ nouille } lèvres
   merveille   écartées   fouille   très arrondies
   pareil   ←→   houille   ×

REMARQUE. — Quand le YOD précède la voyelle *EU*, il arrive que ce EU devienne *O*. C'est souvent par suite de l'interprétation du *EU-ILLE* français comme une diphtongue *OI*. Pour éviter cela, on divisera un mot comme *feuille* en deux syllabes *feu-ille*; la seconde devra être prononcée comme si elle commençait par un *YOD* suivi d'un très petit e muet.

⊙ seuil   ⎱
   œil
   Auteuil   lèvres arrondies
   cueille
   feuille   ⎰

EXERCICES SPÉCIAUX POUR LES HISPANOPHONES ET LES JAPONAIS

qui confondent souvent le YOD, comme dans merveilleux ou mayonnaise, et J, comme dans je ou Genève.

Différence entre le *YOD* et *J*, ou *G* + (e ou *i*) :

YOD (l'ayez)	J, ou G + (e ou i) (léger)
— *les mâchoires sont entrouvertes*	— *les mâchoires sont fermées*
— *les lèvres sont écartées*	— *les lèvres sont arrondies*
— *la pointe de la langue est en bas (comme pour I)*	— *la pointe de la langue est en haut (comme pour Z, mais un peu plus en arrière)*
— *le dos de la langue est largement en contact avec le palais.*	— *le dos de la langue n'est en contact avec le palais que sur les côtés et non au milieu.*

Fig. 8. — YOD. Fig. 9. — J ou G + (e ou i).

EXERCICE 2

Travailler avec le miroir et l'enregistrement.

j'ai	hier	fige	fille
âgé	aillé	beige	abeille
léger	l'ayez	neige	soleil
pigeons	pillons	que sais-je	merveille
les jeux	les yeux	cage	caille
P.G.	payer	page	paille
ma jeunesse	mayonnaise	âge	aille, ail
agir	faillir	bouge	houille
les jette	layette	rouge	rouille

PHRASES

Valables pour tous les groupes linguistiques.

Répéter avec l'enregistrement.

⊙   Jɇ voyáge tous les jeudĩs.

Jɇ suis allé à Versáilles en janvièr.

Ce voyáge est merveilleùx.

Il faut quɇ j'aille payeŕ mon garàge.

Jojó joue au yoyò.

La conciérge m'a envoyé mon courrièr.

On fait la mayonnaíse avec un jaune d'œùf.

Jɇ crois quɇ j'ai quelque chóse dans l'œ̀il.

J'ai pris un billéť pour aller voír « Le Bourgeois Gentilhòmme ».

J'ai bâilléʾ toute la journěe, j'ai sommèll.

J'ai failli mɇ faire piquéŕ par une abeĩlle.

Asseyez-vous dans cɇ fauteuĩl.

J'ai mangé des nouĩlles au fromàge.

J'ai veillé tard hier soír parcɇ que j'avais du travàil.

LEÇON 21

Opposition s/z

Type : *dessert* / *désert*

Les exercices suivants sont valables surtout pour les groupes hispanophones, germaniques, scandinaves, chinois, thailandais, birmans.

DÉFINITION / *Caractères communs à S et Z :*

— Les mâchoires sont fermées.
— Les lèvres sont écartées.
— La pointe de la langue est en bas, contre les dents inférieures.
— S et Z peuvent durer, on entend le passage de l'air entre la langue et les dents.

Différences entre Z et S :

— S est une consonne sourde, les cordes vocales ne vibrent pas. On n'entend que le bruit du passage de l'air.
— Z est une consonne sonore, les cordes vocales vibrent. On entend le bruit du passage de l'air et aussi les vibrations des cordes vocales.

FAUTE A ÉVITER / La confusion entre les deux consonnes S et Z.

CONSEIL PRATIQUE / Mettre les doigts contre la pomme d'Adam pour sentir les vibrations de Z.

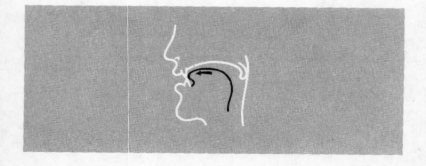

Fig. 10. — S/Z.

EXERCICE 1

Dans cet exercice, les mots ne s'opposent que par les consonnes S et Z.

⊙ nous savons	nous avons	casse	case
dessert	désert	basse	base
poisson	poison	hausse	ose
coussin	cousin	fasse	phase
deux sœurs	deux heures	dix	dise
assis	Asie	cuisse	cuise
les cieux	les yeux	bis	bise
assure	azur	chausse	chose
racé	rasé	douce	douze
haussons	osons	cesse	seize

EXERCICE 2

La seule différence entre les deux auxiliaires avoir et être, à la troisième personne du pluriel, est entre S et Z.

⊙ Ils sont fatigués	⊙ Ils ont faim
Ils sont partis	Ils ont soif
Ils sont malades	Ils ont sommeil
Ils sont contents	Ils ont peur
Ils sont arrivés	Ils ont raison
Ils sont là	Ils ont tort
Ils sont dehors	Ils ont chaud

EXERCICE 3

Les verbes à la forme pronominale et à la forme active ne s'opposent que par les consonnes S et Z à la 3ᵉ personne du pluriel.

S	Z
⊙ Ils s'aiment	Ils aiment
Ils s'habituent	Ils habituent
Ils s'offrent	Ils offrent
Ils s'adorent	Ils adorent
Ils s'accompagnent	Ils accompagnent
Ils s'aident	Ils aident
Ils s'ouvrent	Ils ouvrent
Ils s'oublient	Ils oublient

EXERCICE 4

Les verbes suivants deviennent des verbes pronominaux seulement par l'addition du pronom SE, qui se réduit dans ces cas à S ou Z.

	S		Z
On parle	On sé parle	On dit	On sé dit
On cache	On sé cache	On voit	On sé voit
On cherche	On sé cherche	On demande	On sé demande
On téléphone	On sé téléphone	On déclare	On sé déclare
On sourit	On sé sourit	On gare	On sé gare
On prépare	On sé prépare	On joue	On sé joue
On promène	On sé promène	On baisse	On sé baisse
On passe	On sé passe	On décide	On sé décide

EXERCICE 5

Le Z se trouve surtout dans la liaison des mots terminés par S, X, Z.

⊙ Nous avons	⊙ Vous avez	Ils ont	Prends-en
Nous allons	Vous allez	Ils aiment	Manges-en
Nous aimons	Vous aimez	Ils étudient	Donnes-en
Nous étudions	Vous étudiez	Ils attendent	Bois-en
Nous attendons	Vous attendez	Ils entendent	Fais-en
Nous entendons	Vous entendez	Ils achètent	Lis-en
Nous achetons	Vous achetez	Ils écrivent	Dis-en
Nous écrivons	Vous écrivez	Ils y vont	Joues-en

Pensez-y	Les	amis	Nos	avions
Courez-y	Mes	élèves	Vos	usines
Sautez-y	Tes	artistes	Leurs	ennemis
Venez-y	Ses	abonnés		infirmiers
Montez-y	Des	imbéciles		inspecteurs
Goûtez-y	Ces	enfants		étudiants
Croyez-y		inconnus		assistants
Comptez-y		oiseaux		ouvriers

Deux heures	Chez elle
Trois heures	Chez eux
Six heures	Chez elles
Dix heures	Chez un voisin
Douze heures	Chez une voisine
Treize heures	Chez un ami
Quatorze heures	Chez une amie
Quinze heures	Chez un camarade

EXERCICE 6

Le mot tous *a un traitement spécial.*

1º Tous *adjectif : le S n'est pas prononcé.*

Tous les ans
Tous vos élèves
Tous mes enfants
Tous tes arbres
Tous nos oiseaux
Tous vos amis
Tous leurs hivers
Tous ces Anglais

2º Tous *pronom, suivi d'une consonne ou d'une voyelle : le S est prononcé S.*

Ils sont tous là
Ils sont tous perdus
Ils sont tous fatigués
Ils sont tous contents
Ils parlent tous
Allez-y tous
Venez tous
Taisez-vous tous

Ils sont tous ici
Ils sont tous assis
Ils sont tous honnêtes
Ils sont tous aimables
Ils sont tous usés
Ils sont tous au Maroc
Ils sont tous à Paris
Ils sont tous en Allemagne

EXERCICE 7

Le mot plus *a un traitement spécial.*

1º S'il est négatif : *le S n'est jamais prononcé.*

Il n'y en a plus
Je n'en veux plus
On ne le voit plus
Je ne l'entends plus

Ils n'y sont plus
Elles n'y vont plus
Elle n'en peut plus
Il n'en fait plus

2º S'il est positif :
a) *Devant une voyelle, le S est prononcé Z au début du mot suivant.*

Il est plus intelligent
Il est plus actif
Il est plus aimable
Il est plus énergique

Il est plus utile
Il est plus important
Il est plus intéressé
Il est plus agréable

b) *Devant une consonne, le S n'est pas prononcé :*

Il est plus grand

Il est plus vieux

Il est plus gros

Il est plus fort

Il est plus bête

Il est plus cultivé

Il est plus snob

Il est plus cher

c) *Final, le S peut être prononcé ou non.*

Un peu plus

Beaucoup plus

Encore plus

Toujours plus

Il n'en faut pas plus

Je n'en sais pas plus

Je n'en veux pas plus

Il n'en fait pas plus

d) *Pour le signe +, le S est toujours prononcé :*

$$1 + 1 = 2$$
$$2 + 3 = 5$$
$$11 + 12 = 23$$
$$14 + 10 = 24$$

$$75 + 16 = 91$$
$$20 + 30 = 50$$
$$100 + 25 = 125$$
$$1\,000 + 500 = 1\,500$$

PHRASES

Répéter avec l'enregistrement.

⊙ Les deux sœurs se réunissent à deux heures.

On entendait de la musique classique au concert.

Les hivers sont froids au centre des États-Unis.

Passez-y entre six et dix heures.

C'est un sujet intéressant.

Mais si, allez-y, c'est amusant.

Prenez-en, je vous en prie.

Il s'est assis sur une chaise dans le salon.

Zazie causait avec sa cousine en cousant.

Pensez au dossier de la maison Bazin.

Je vous assure que si.

LEÇON 22

Opposition ch *et* j

Type : *boucher / bouger*

Les exercices suivants sont valables pour tous les groupes linguistiques et particulièrement Germaniques, Scandinaves, Chinois, Thaïlandais, Birmans, Océaniens, Laotiens.

DÉFINITION

Caractères communs à CH et J :
— Les mâchoires sont fermées.
— Les lèvres sont arrondies.
— La pointe de la langue est relevée vers les dents supérieures.
— *CH* et *J* peuvent durer, on entend le passage de l'air entre la langue et les dents.

Différence entre CH et J :

— *CH* est une consonne sourde, les cordes vocales ne vibrent pas. On n'entend que le bruit du passage de l'air.
— *J* est une consonne sonore, les cordes vocales vibrent. On entend le bruit du passage de l'air et aussi les vibrations des cordes vocales.

FAUTES A ÉVITER

1º La confusion entre les deux consonnes *CH* et *J*.

2º Les groupes linguistiques Hispanophones, Japonais, Coréens ont une faute particulière :

— Ils font précéder le *CH* d'un *T :* on entend *tch*aud au lieu de *ch*aud.
— Ils font précéder le *J* d'un *D :* on entend *dj*e au lieu de *je*.

CONSEILS PRATIQUES / Pour la faute 1 mettre les doigts contre le larynx pour sentir les vibrations des cordes vocales pour le *J*.
Pour la faute 2 éviter que la langue touche les dents au commencement du *CH* et du *J*.

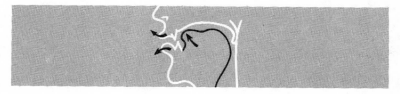

Fig. 11. — CH, J ou G (e ou *i*).

EXERCICE I

Les mots suivants ne s'opposent que par les consonnes CH *et* J.

⊙	chose	j'ose	⊙ des chats	déjà	⊙	cache	cage
	chez	j'ai	haché	âgé		Loches	loge
	chaud	Jo	cachot	cageot		hache	âge
	choux	joue	les choux	les joues		bouche	bouge
	chien	Giens	lécher	léger		bêche	beige
	champ	gens	hachis	agit		hanche	ange
	chute	jute	boucher	bouger		sache	sage
	chatte	jatte	ficher	figer		l'arche	large

PHRASES

Répéter avec l'enregistrement.

⊙ Le chat a déjà mangé le hachis.

Elle a les joues rouges et chaudes.

J'ai cherché mon mouchoir, je l'avais perdu dans le jardin.

Il fait chaud, j'ai ouvert la fenêtre de gauche.

Il faut que je sache l'âge de la jeune fille chinoise.

J'ai chassé le jaguar en Chine.

Il y a beaucoup de gens aux champs.

J'ai acheté un cageot de choux rouges.

LEÇON 23

Opposition s/z ch/j

Type : *assis / hachis, chou / joue*

Les exercices suivants sont valables surtout pour les groupes linguistiques Grecs, Néerlandais, Hispanophones, Italiens et presque tous les Asiatiques. La dernière partie sera utile aussi aux Anglo-Saxons.

DÉFINITION

Caractères communs aux deux groupes de consonnes :
— Les mâchoires sont fermées.
— Toutes ces consonnes peuvent durer, on entend le bruit du passage de l'air.

Différences entre les deux groupes de consonnes :

S et Z	CH et J
— Les lèvres sont écartées. ←——→	— Les lèvres sont arrondies × (comme pour *OU*).
— La pointe de la langue est en bas (comme pour *i*).	— La pointe de la langue est en haut.

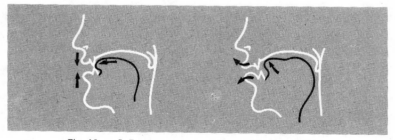

Fig. 12. — S, Z. Fig. 13. — CH, J ou G.

FAUTE A ÉVITER / La confusion entre *S/Z* et *CH/J*.

CONSEILS PRATIQUES / Travailler avec le miroir pour contrôler la position des lèvres. Pour *S* et *Z* elles sont écartées ←——→, pour *CH* et *J* elles sont arrondies ×.

REMARQUE / *CH* ne doit pas commencer par un *T*, la langue ne doit pas toucher les dents de devant (Hispanophones et Japonais).

EXERCICE 1

Dans cet exercice, les mots ne s'opposent que par les consonnes S et CH.

⊙	ça	chat	⊙	faussé	fauché	⊙	as	hache
	c'est	chez		cassé	caché		fasse	fâche
	sot	chaud		assez	haché		fils	fiche
	sic	chic		assis	hachis		bis	biche
	sans	champ		baisser	bêcher		tousse	touche
	serre	cher		percer	percher		casse	cache
	sous	chou		tasser	tâcher		bus	bûche
	sien	chien		masser	mâcher		lasse	lâche

EXERCICE 2

⊙	c'est moi	chez moi		c'est nous	chez nous
	c'est toi	chez toi		c'est vous	chez vous
	c'est lui	chez lui		c'est eux	chez eux
	c'est elle	chez elle		c'est elles	chez elles

EXERCICE 3

Consonnes S | CH.

c'est charmant	son chien	sa chambre
c'est changé	son chef	sa chance
c'est chez moi	son chandail	sa chanson
c'est chaud	son chang∉ment	sa chaussette
c'est chimique	son château	sa chaussure
c'est cher	son chauffeur	sa ch∉minée
c'est choquant	son ch∉min	sa ch∉mise
c'est chic	son ch∉val	sa chev∉lure

	(*s* se prononce *z*)	(*j* se prononce *ch*)
qui s∉ chasse	ça s∉ joue	j∉ sais bien
qui s∉ cherche	ça s∉ jalouse	j∉ suis bien
qui s∉ choque	ça s∉ joint	j∉ sors bien
qui s∉ charge	ça s∉ jauge	j∉ saute bien
qui s∉ chagrine	ça s∉ juche	j∉ sens bien
qui s∉ chausse	ça s∉ jette	j∉ cède bien
qui s∉ chauffe	ça s∉ juge	j∉ signe bien
qui s∉ chante	ça s∉ justifie	j∉ serre bien

EXERCICES SPÉCIAUX

Pour les Anglo-Saxons, les Néerlandais, les Chinois, les Thaïlandais, les Birmans, les Japonais.

Pour ces nationalités, le groupe S + I + voyelle est prononcé comme CH + I + voyelle (ex : sien est prononcé comme chien).

CONSEILS PRATIQUES / La pointe de la langue doit rester fortement appuyée contre les dents inférieures, et les lèvres ne doivent pas s'arrondir, au contraire, elles doivent être écartées.

1º *Les lèvres sont écartées pour le S et pour la voyelle suivante :*

⊙   dossier
     acier
     boursier
     épicier
     massiez
     passiez
     poussiez

2º *Les lèvres sont écartées pour le S, mais elles sont arrondies pour la voyelle suivante :*

⊙   nation
     passion
     action
     notion
     initial
     facial
     racial

3º *La difficulté est la même pour le groupe Z + I + voyelle :*

⊙   rosier
     posiez
     télévision
     les yeux

     causiez
     cousiez
     deuxième
     dixième

REMARQUE. — L'exercice peut être effectué en disant d'abord doss/ier. Quand le YOD sera bien fixé auditivement, on passera à do/ssier.

Ces mêmes groupes linguistiques prononcent souvent les groupes *SU* et *ZU* comme *CHU* et *JU*. La pointe de la langue doit rester fortement appuyée contre les dents inférieures pour éviter cette faute.

     assure
     cassure
     c'est sûr
     ça suffit

     issue
     tissu
     les États-Unis
     azur

84

PHRASES

*Contenant à la fois les deux groupes de consonnes S et Z (lèvres écartées)
et CH et J (lèvres arrondies).*

Répéter avec l'enregistrement.

⊙ J'ai acheté un joli chat siamois jaune.

Son chien n'est pas méchant.

Je suis enchanté d'y avoir assisté.

Cette soirée était charmante.

Qu'est-ce que vous cherchez ?

C'est dommage qu'il soit déjà si tard.

C'est très gentil de sa part.

J'ai l'impression qu'elle ne sait pas s'organiser.

Cette jolie fille n'est pas Écossaise, elle est Chilienne.

Il faut chercher une solution plus avantageuse.

LEÇON 24

Opposition p/b

Type : *pain* / *bain*

Les exercices suivants sont valables pour les groupes linguistiques Germaniques, Scandinaves, Chinois, Birmans, Thaïlandais et de nombreux Africains. Les Anglo-Saxons devront travailler surtout les exercices sur le P.

DÉFINITION

Caractères communs à P *et* B :

— Les mâchoires sont entrouvertes.
— Les lèvres s'appuient nettement l'une contre l'autre.
— P et B ne peuvent être prolongés. Ils *explosent*.

Différence entre P *et* B :

— P est une consonne *sourde*. Les cordes vocales ne vibrent pas. On n'entend que le bruit de l'explosion (quand les lèvres se détachent l'une de l'autre).
— B est une consonne *sonore*. Les cordes vocales vibrent pendant que les lèvres sont fermées (on entend les vibrations, puis l'explosion).

FAUTES A ÉVITER / 1º La confusion des deux consonnes P et B.

— au commencement : *père* / *bête*
— au milieu : ha*pp*é / a*bb*é
— à la fin : trom*p*e / troi*m*be

2º Les groupes germaniques anglo-saxons et iraniens font un souffle après le P.

CONSEILS PRATIQUES

Pour la faute 1 mettre les doigts contre la pomme d'Adam pour contrôler que les cordes vocales vibrent pour le B et ne vibrent pas pour le P.

Pour la faute 2 se préparer à prononcer la voyelle qui suit le P, en fermant nettement les lèvres.

Ex. : papa

Faire une contraction des cordes vocales comme pour dire le A, et fermer les lèvres nettement pour le P, puis, dire le A.

EXERCICE 1

Imiter l'enregistrement.

— P *se prononce toujours de la même façon, quelle que soit sa position dans le mot.*

— B *se prononce toujours de la même façon, quelle que soit sa position dans le mot.*

1º *Au commencement, le P n'est pas suivi d'un souffle.*

2º *Entre deux voyelles, le P n'est pas suivi d'un souffle.*

⊙		
pou	bout	
pont	bon	
pot	beau	
peu	bœufs	
pu	bu	
pis	bis	

⊙		
taper	tabou
souper	habit
attraper	au bain
tremper	il a bu
c'est parfait	tombé
j'ai perdu	là-bas

3º *A la fin d'un mot, vérifier au miroir que P et B explosent.*

⊙
ça tape
Allez hop !
attrape
c'est un cap
quel type !
ça frappe

⊙ quelle jolie robe !
j'ai mal à la jambe
donnez-m'en un tube
à l'aube
il est au club
il est snob

EXERCICE 2

Expressions courantes avec c'est.

c'est peu
c'est petit
c'est plein
c'est perdu
c'est pointu
c'est profond
c'est parlant
c'est pittoresque

c'est bien
c'est beau
c'est bête
c'est bon
c'est brillant
c'est bleu
c'est blanc
c'est bâti

PHRASES

Répéter avec l'enregistrement.

⊙ Le petit bébé a sali son bavoir avec du biscuit.

La pauvre Brigitte a perdu son passeport au bazar.

Je n'ai pas pu boire ce vin blanc.

Est-ce qu'il y a du porto à Bordeaux ?

J'ai porté le petit au lit et je l'ai bordé.

Ce pauvre abbé a passé une bonne heure au bureau.

J'ai posé mon portefeuille sur le banc.

Je voudrais un tube d'aspirine et une boîte de pastilles.

LEÇON 25

Opposition f/v

Type : *fou/vous.*

Les exercices suivants sont valables pour les groupes germaniques, scandinaves, chinois, birmans, thailandais, de nombreux africains et aussi certains hispanophones.

DÉFINITION

Caractères communs à F *et* V :
— Les mâchoires sont entrouvertes.
— La lèvre inférieure s'appuie nettement contre les dents supérieures.
— *F* et *V* peuvent être prolongés. On entend le passage de l'air entre la lèvre et les dents.

Différence entre F *et* V :
— *F* est une consonne *sourde :* les cordes vocales ne vibrent pas.
— *V* est une consonne *sonore :* les cordes vocales vibrent. On entend le bruit du passage de l'air et aussi les vibrations des cordes vocales.

FAUTES A ÉVITER

1º La confusion entre les deux consonnes *F* et *V.*
2º La mauvaise articulation du *F* et du *V.* Beaucoup d'Asiatiques et d'Hispanophones n'appuient pas assez nettement la lèvre inférieure contre les dents supérieures, surtout quand *F* et *V* sont suivis d'une voyelle arrondie comme : *fume* ou *vous.*

CONSEILS PRATIQUES

Pour la faute 1 mettre les doigts contre la pomme d'Adam, pour sentir les vibrations du *V.*
Pour la faute 2 prendre un miroir et contrôler : on doit voir les dents s'appuyer sur la lèvre inférieure.

EXERCICE I

— F *se prononce toujours de la même façon, quelle que soit sa position dans le mot.*
— V *se prononce toujours de la même façon, quelle que soit sa position dans le mot.*

Au commencement d'un mot		*Au milieu d'un mot*	
⊙ fou	vous	⊙ en effet	à vous
font	vont	enfin	souvent
faux	vaut	un café	ça va
feu	veux	affreux	il l'a vu
fut	vu	quelle souffrance	l'avez-vous?
fit	vit	Il l'affirme	en avion

A la fin d'un mot

⊙ quelle gaffe	va à la cave
quelle belle étoffe	c'est à Yves
j'étouffe	quel rêve
donnez-moi un œuf	c'est grave
il est sain et sauf	elle est neuve

A la fin d'un mot
opposition masculin / féminin

⊙ actif	active
passif	passive
massif	massive
poussif	poussive
impulsif	impulsive
incisif	incisive
relatif	relative
intensif	intensive

EXERCICE 2

Expressions courantes avec c'est.

c'est faux	c'est vrai
c'est fameux	c'est vide
c'est franc	c'est vaste
c'est fragile	c'est varié
c'est féminin	c'est vivant
c'est facile	c'est vous ?

PHRASES

Répéter avec l'enregistrement et le miroir.

⊙ Attention, le feu est vert.

J'ai fait des endives au fromage.

Si vous aviez formé des élèves !

Avez-vous fermé au verrou ?

C'est la faute de vos enfants.

Savez-vous où il faut envoyer les fleurs ?

A force de flatteries, il finira par avoir une invitation.

Il a fait fortune au Vénézuéla en vendant des fourrures.

LEÇON 26

Opposition b/v

Type : *il a bu | il a vu*

Les exercices suivants sont valables pour les Hispanophones, Japonais, Birmans, certains Indiens, Pakistanais, Iraniens, Arabes, qui confondent le B et le V. Les Turcs, qui ne confondent pas le B et le V, auront cependant avantage à faire les exercices sur le V, qu'ils prononcent généralement comme un OUÉ (voir leçon 19, p. 56, ex. : 6).

Différences entre B et V

B	*V*
— Les deux lèvres s'appuient nettement l'une contre l'autre.	— La lèvre inférieure s'appuie nettement contre les dents supérieures.
— Le *B* ne peut pas être prolongé. Il *explose*.	— Le *V* peut être prolongé. Il laisse passer l'air du début à la fin.

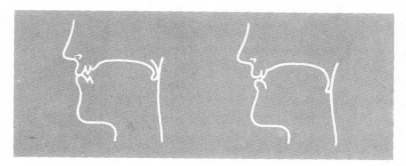

Fig. 14. — B.   Fig. 15. — V.

CONSEILS PRATIQUES / Contrôler la position des lèvres dans le miroir. Travailler avec la bande-professeur.

92

EXERCICE 1

— B *se prononce toujours de la même façon, quelle que soit sa position dans le mot.*

— V *se prononce toujours de la même façon, quelle que soit sa position dans le mot.*

Au commencement d'un mot

⊙	bile	ville
	bas	vas
	bu	vu
	beau	veau
	bout	vous
	bon	vont
	bain	vin
	banc	vent

Au milieu d'un mot

⊙	un habit	un avis
	un abbé	un ave
	ça bat	ça va
	le bain	le vin
	il a bu	il a vu
	la bile	la ville
	à bout	à vous
	il sent bon	ils s'en vont

A la fin d'un mot

A la fin du mot : contrôler dans le miroir que le *B explose*, c'est-à-dire que les lèvres se rouvrent après l'explosion.

⊙ Quelle jolie robe !
J'ai mal à la jambe.
Donnez-m'en un tube.
Il est au club.
Il est snob.
Un crabe.
Ils tombent.
Une bombe.

⊙ Va à la cave.
Quel rêve !
Dans la cuve.
Elle est neuve.
Elle est veuve.
Ils se sauvent.
C'est grave.
Des cives.

EXERCICE 2

Expressions courantes avec c'est *ou* ça.

C'est bien.
C'est beau.
C'est bon.
C'est blanc.
C'est bleu.
C'est brillant.
Ça fait du bien.
Ça se fait beaucoup.

Ça vient.
Ça le vaut.
C'est vrai.
C'est vert.
C'est varié.
C'est vivant.
C'est vous.
Ça se voit.

PHRASES

Répéter avec l'enregistrement et le miroir.

⊙ J'habite à la Cité Universitaire en hiver.

J'aime bien boire du vin blanc.

Je voudrais du beurre avec les olives, s'il vous plaît.

Voulez-vous un verre d'eau, un verre de bière ou un verre de vin ?

Voulez-vous du vert, du bleu, du blanc ou du violet ?

Avez-vous visité la basilique ?

Elle a les cheveux blonds, avec quelques cheveux blancs.

Il est arrivé avant vous à 9 heures.

Avez-vous visité les boutiques de l'avenue Berlioz ?

Savez-vous si les voisins ont un bébé ?

Le lavabo est bouché, il faut faire venir le plombier.

LEÇON 27

Opposition p/f

Type : *lapin* / *la fin*

Les exercices suivants sont valables pour les groupes linguistiques birmans, indiens, océaniens, pakistanais, iraniens, certains arabes et hispanophones, ainsi que japonais et chinois.

Différences entre P et F

P	*F*
— Les lèvres s'appuient nettement l'une contre l'autre.	— La lèvre inférieure s'appuie nettement contre la lèvre supérieure.
— Le *P* ne peut pas durer : il *explose*.	— Le *F* peut durer, il peut être prolongé.

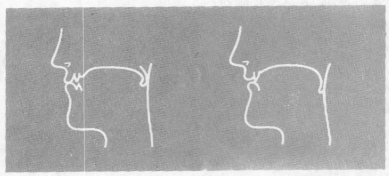

Fig. 16. — P.   Fig. 17 — F.

FAUTE A ÉVITER / Ces deux consonnes sont souvent prononcées par les groupes cités, comme des *P* qui n'explosent pas, mais qui, au contraire, laissent passer l'air comme pour *F*.

CONSEILS PRATIQUES / Contrôler la position des lèvres dans le miroir et travailler avec l'enregistrement.

EXERCICE I

— P *se prononce toujours de la même façon, quelle que soit sa position dans le mot.*

— F *se prononce toujours de la même façon, quelle que soit sa position dans le mot.*

Au commencement du mot				*Au milieu du mot*		
⊙	paix	fait	⊙	la paire	l'affaire
	pas	fat		épais	effet
	port	fort		appuie	a fui
	pot	faux		gripper	griffer
	peu	feu		en père	en fer
	pus	fut		les ports	l'effort
	pou	fou		lapin	la fin
	pour	four		la pélote	la flotte

A la fin d'un mot

A la fin du mot, contrôler l'explosion dans le miroir.

⊙	un type	actif
	attrape	une gaffe
	une crêpe	une greffe
	un cep	un chef
	allez hop !	une étoffe
	étoup	étouffe
	houppe	ouf !
	la grippe	la griffe

EXERCICE 2

Expressions courantes avec c'est *et* ça.

C'est peu.
C'est pauvre.
C'est petit.
C'est profond.
C'est pointu.
C'est plein.
C'est pratique.
Ça se peut bien.

C'est le feu.
C'est faux.
C'est fini.
C'est facile.
C'est fragile.
C'est féminin.
C'est formidable.
Ça fait bien.

96

PHRASES

Répéter avec l'enregistrement et le miroir.

⊙ Le petit est parti jouer au football.

Son père est fonctionnaire.

Le pauvre pêcheur avait faim et soif.

Il ne pourra pas profiter de cette faveur.

Il est fou de passer la frontière sans passeport.

C'est ma faute, c'était trop difficile.

Il fait partie d'une famille puritaine.

Pourtant mon portefeuille était bien dans ma poche.

Pouvez-vous me dire quelles sont vos préférenc

Mais c'est parfaitement possible.

LEÇON 28

Opposition t/d

Type : *tout* / *doux*

Les exercices suivants sont valables pour les groupes germaniques, scandinaves, chinois, birmans, thaïlandais et de nombreux Africains.
Les Anglo-Saxons devront travailler les exercices sur le T.
Les Hispanophones devront travailler les exercices sur le D.
Les Brésiliens, Portugais, Canadiens français, Égyptiens, Marocains, Tunisiens, Algériens, Mauriciens trouveront à la fin de la leçon des exercices spéciaux pour eux.

DÉFINITION

Caractères communs à T *et* D :

— Les mâchoires sont entrouvertes.
— La langue s'appuie contre les dents supérieures et non contre les alvéoles (derrière les dents).
— *T* et *D* ne peuvent être prolongés. Ils *explosent*.

Différences entre T *et* D :

— *T* est une consonne *sourde*. Les cordes vocales ne vibrent pas. On n'entend que le bruit de l'explosion (quand la langue se détache des dents).
— *D* est une consonne *sonore*. Les cordes vocales vibrent pendant que la langue s'appuie contre les dents. On entend les vibrations, puis l'explosion.

FAUTES A ÉVITER / Elles diffèrent selon les groupes linguistiques.

Germaniques, Scandinaves, Chinois, Birmans, Thaïlandais et de nombreux Africains confondent les deux consonnes.

CONSEILS PRATIQUES

— *T* se prononce toujours de la même façon, quelle que soit sa position dans le mot.
— *D* se prononce toujours de la même façon, quelle que soit sa position dans le mot.

— Vérifier que les cordes vocales vibrent pour le *D* et non pour le *T*, avec les doigts posés contre la pomme d'Adam.

— *Les Anglo-Saxons, Germaniques* font un souffle après le *T* :

Se préparer pour la prononciation de la voyelle qui suit le *T* en appuyant la langue contre les dents supérieures, comme il a déjà été expliqué pour le *P* (voir p. 73).

Les Hispanophones font un *D* entre deux voyelles et en finale, qui ressemble à un *Z* (au *th* anglais de *this*), c'est-à-dire que pendant que la langue est appuyée contre les dents, ils laissent passer l'air comme dans Ma*dr*id en espagnol. En finale, ce son disparaît même souvent complètement dans la prononciation courante d'un Hispanophone. Au contraire, pour un *D* français, la langue doit être appuyée *nettement* contre les dents (et non *entre* les dents, à contrôler au miroir), comme pour le *T*. Le *D*, comme le *T*, *explose* et se prononce toujours avec netteté, quelle que soit sa position dans le mot. Il ressemble au *D* initial espagnol.

EXERCICE I

Au commencement du mot		*Au milieu du mot*	
⊙ tout	doux	⊙ entamer	madame
tôt	dos	autorité	idéal
ton	don	état	idiot
te	de	étudier	adulte
teint	daim	étonné	édifice
thé	des	étirer	addition
tu	du	attirer	lundi
temps	dans	attitude	mardi

A la fin du mot : contrôler l'explosion dans le miroir

⊙ Allez vite.   ⊙ C'est humide.
C 'est la fête.   Elle m'aide.
Je suis prête.   Elle est laide.
C'est ma faute.   C'est la mode.
Quelle brute !   Dans le sud.
Il a honte.   Il y a du monde.
Une tarte.   C'est fade.
C'est bête.   C'est stupide.

Les exercices suivants sont valables pour tous les groupes linguistiques.

EXERCICE 2

Expressions courantes avec c'est.

C'est tout.	C'est doux.
C'est tôt.	C'est drôle.
C'est triste.	C'est dangereux.
C'est terrible.	C'est défendu.
C'est idiot.	C'est décidé.
C'est à moi.	C'est dehors.
C'est évident.	C'est dit.
C'est annoncé.	C'est dégagé.

EXERCICE 3

T *dans les chiffres.* (*Remarquer que le* T *est prononcé avec* 20 + *un autre chiffre, mais non avec* 80.)

⊙ 21, 22, 23, 24, 25, 26, 27, 28.
81, 82, 83, 84, 85, 86, 87, 88.

30, 31, 32, 33, 34, 35, 36, 37.
40, 41, 42, 43, 44, 45, 46, 47.

REMARQUE. — Le T final de toutes les dizaines se prononce très nettement : 25, 35, 45, 55, 65, 75, 152, 162 ...

EXERCICE 4

Liaison avec T *et* D. *Remarquer que le* D *de liaison se transforme toujours en* T.

⊙ C'est à moi.	⊙ Un grand homme.	⊙ Quand il viendra.
C'est à toi.	Un grand avion.	Quand il ira.
C'est à lui.	Un grand amour.	Quand il saura.
C'est à elle.	Un grand oiseau.	Quand il boira.
C'est à nous.	Un grand autobus.	Quand il chantera.
C'est à vous.	Un grand étudiant.	Quand il mangera.
C'est à eux.	Un grand élève.	Quand il fumera.
C'est à elles.	Un grand espoir.	Quand il sonnera.

EXERCICE 5

Le pronom TE *peut se réduire à la consonne* T. *Travailler en opposition les phrases avec le complément réduit à T et les phrases sans complément.*

⊙ Il veut te voir. | Il veut voir.
Il veut te remercier. | Il veut remercier.
Il veut te parler. | Il veut parler.
Il veut te payer. | Il veut payer.
Il veut te trouver. | Il veut trouver.
Il veut te chercher. | Il veut chercher.
Il veut te téléphoner. | Il veut téléphoner.
Il veut te féliciter. | Il veut féliciter.

EXERCICE 6

Le verbe venir de, *suivi d'un autre verbe, exprime le passé récent et le verbe* venir, *suivi d'un autre verbe, exprime une sorte de futur très proche, ou la volonté.*

Ex. : Je viens de déjeuner   et   Je viens déjeuner.

La préposition DE *se réduit à* D. *Travailler les exemples suivants en opposant le passé et le futur.*

⊙ Je viens de voir Jean. | Je viens voir Jean.
Je viens de chercher du pain. | Je viens chercher du pain.
Je viens de téléphoner. | Je viens téléphoner.
Je viens de danser avec elle. | Je viens danser avec elle.
Je viens de la chercher. | Je viens la chercher.
Je viens de préparer le dîner. | Je viens préparer le dîner.
Je viens de boire un peu. | Je viens boire un peu.
Je viens de discuter avec Annie. | Je viens discuter avec Annie.
Je viens de déjeuner avec eux. | Je viens déjeuner avec eux.
Je viens de dormir. | Je viens dormir.

EXERCICE 7

L'article partitif peut se réduire à D, et peut ainsi changer le sens d'une phrase par sa présence.

Ex. : Je veux l'argent

veut dire : tout l'argent dont il est question.

Je veux dø l'argent

veut dire : une certaine somme d'argent.

Travailler les exemples suivants en opposant ces deux idées.

⊙ Je voudrais l'eau.
Je voudrais l'essence.
Je voudrais l'encre.
Je voudrais l'argent.
Je voudrais l'huile.
Je voudrais l'orangeade.
Je voudrais l'aspirine.
Je voudrais l'alcool.

Je voudrais dø l'eau.
Je voudrais dø l'essence.
Je voudrais dø l'encre.
Je voudrais dø l'argent.
Je voudrais dø l'huile.
Je voudrais dø l'orangeade.
Je voudrais dø l'aspirine.
Je voudrais dø l'alcool.

PHRASES

Répéter avec l'enregistrement.

⊙ C'était deux dames très distinguées.

Elle vendait des cartes postales dans une petite boutique démodée.

C'était lundi à deux heures et demie.

Téléphonez-moi dans l'après-midi entre deux heures et demie et trois heures.

Je suis tout à fait démoralisé.

Il est trop tôt pour faire un diagnostic valable.

Il est sans doute dangereux.

C'est inutile et fatigant.

Mais c'est démodé, Madame !

Madame Durand est distraite.

Il est interdit de doubler dans un virage.

C'est difficile de trouver un docteur le dimanche.

Donnez-m'en sept ou huit.

EXERCICES SPÉCIAUX

Les Brésiliens, Portugais, Canadiens français, Égyptiens, Marocains, Algériens, Tunisiens, Mauriciens, lorsqu'ils trouvent le groupe T + I, T + U ou D + I, D + U introduisent, entre la consonne et la voyelle, une sorte de S dans le cas de T, une sorte de Z dans le cas de D.

Exemple : au lieu de lundi, *on entend* lundzi; *au lieu de* matinée, *on entend* matsinée.

Il faut apprendre à décoller la langue des dents, après le T et le D, très vite, sans que la langue frotte contre les dents supérieures.

Faire les exercices suivants en écoutant attentivement l'enregistrement.

Il aidera lundi.
Il aidera mardi.
Il aidera mercredi.
Il aidera jeudi.
Il aidera vendredi.
Il aidera samedi.
Il aidera dimanche.
Il y a dix ans.

Il est toujours timide.
Il est toujours actif.
Il est toujours fatigué.
Il est toujours parti.
Il est toujours attiré.
Il est toujours sorti.
Il est toujours gentil.
Il est toujours tiré.

Sans doute viens-tu ?
Sans doute sors-tu ?
Sans doute l'as-tu ?
Sans doute manges-tu ?
Sans doute pleures-tu ?
Sans doute l'aimes-tu ?
Sans doute ris-tu ?
Sans doute pars-tu ?

J'ai donné du sel.
J'ai donné du pain.
J'ai donné du vin.
J'ai donné du beurre.
J'ai donné du poivre.
J'ai donné du cake.
J'ai donné du thé.
J'ai donné du lait.

PHRASES SPÉCIALES

Répéter avec l'enregistrement.

J'ai l'habitude.

Son attitude est irritante.

C'est inutile au Portugal.

Le temps est humide.

C'est un industriel.

Il est très timide.

Mais non, pas du tout !

Il est parti dimanche après midi.

Son activité diminue depuis dix ans.

L'as-tu dit à sa petite sœur ?

LEÇON 29

Opposition k/g

Type : *quai / gai*

Les exercices suivants sont valables pour les groupes germaniques, scandinaves, birmans, chinois, thaïlandais et de nombreux Africains.
Les Anglo-Saxons devront travailler le *K* et les Hispanophones le *G*.
Les Turcs, les Roumains, certains Iraniens et Slaves trouveront à la fin de la leçon des exercices spéciaux.

DÉFINITION

Caractères communs à K *et* G :

— Les mâchoires sont entrouvertes.

— La langue s'appuie contre les dents inférieures, le dos de la langue est en contact avec le milieu du palais.

— *K* et *G* ne peuvent être prolongés. Ils *explosent*.

Différence entre K *et* G :

— *K* est une consonne *sourde*. Les cordes vocales ne vibrent pas. On n'entend que le bruit de l'explosion (quand la langue se détache du palais).

— *G* est une consonne *sonore*. Les cordes vocales vibrent pendant que la langue s'appuie contre le palais. On enterrd les vibrations, puis l'explosion.

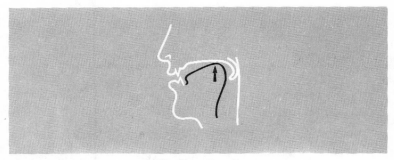

Fig. 18. — K et G.

FAUTES A ÉVITER

Les Germaniques, les Scandinaves, les Birmans. les Chinois, les Thaïlandais, les Océaniens et de nombreux Africains confondent la consonne sourde K et la consonne sonore G.

Les Anglo-Saxons, les Germaniques, les Iraniens et de nombreux Africains font suivre le K (comme P et T) d'un souffle.

Les Hispanophones font souvent un G (soit à la fin d'un mot, soit entre deux voyelles) qui ressemble à un souffle. C'est-à-dire que pendant que le dos de la langue est appuyé contre le palais, ils laissent passer l'air, comme dans HAGO, en espagnol. Pour une oreille française, ce G est entendu presque comme un R léger.

Les Turcs, les Roumains, certains Slaves et Iraniens font souvent entendre après K et G, une sorte de petit *i*. Par exemple dans l'expression " Qu'est-ce-que c'est " on entend " Quyest-ce-quye c'est ".

CONSEILS PRATIQUES

K ou G se prononcent toujours de la même façon, quelle que soit leur position dans le mot. Vérifier, en mettant les doigts contre la pomme d'Adam, que les cordes vocales vibrent pour le G et qu'elles ne vibrent pas pour le K.

Se préparer à prononcer la voyelle qui suit le K, avant le K. (On doit sentir une contraction des muscles abdominaux, comme quand on va tousser). Puis tout en maintenant cette contraction abdominale, articuler le K, immédiatement suivi de la voyelle.

Pour un G français, le dos de la langue doit être appuyé très fortement contre le milieu du palais, comme pour le K. Le G, comme le K, explose, quelle que soit sa position dans le mot.

Le K comme le G français s'articulent avec la partie centrale du dos de la langue contre la partie médiane du palais, mais légèrement en arrière, et la zone de contact doit être très étroite.

EXERCICE I

Pour les Germaniques, Scandinaves, Birmans, Chinois, Thaïlandais, Africains.

1º *Au commencement du mot*   2º *Au milieu du mot*

⊙ car	gare	paquet	pagaie
cale	gale	écoute	égoutte
quai	gai	à Caen	à Gand
qui	gui	l'écran	les grands
Caire	guerre	c'est classé	c'est glacé
coûte	goutte	le clan	le gland
cru	grue	les coûts	l'égout
carré	garer	un carreau	un garrot

: et *G*

et à Gand ?

ce paquet ?

...udra pour y aller ?

Mon café ...

C'est le kinésithérapeute qui l'a guéri.

Sa réaction n'était ni galante ni élégante.

EXERCICE 2

Spécial pour les Hispanophones. *Avant de commencer ces exercices, il est bon d'étudier le R français, afin de l'opposer à G, puisque les Hispanophones ont un G qui ressemble au R français.*

Caractères communs à *G et R*

— *Les mâchoires sont entrouvertes.*

— *Les lèvres sont légèrement écartées.*

— *La pointe de la langue est appuyée contre les dents inférieures.*

— *Le dos de la langue est remonté vers le palais.*

— *Les cordes vocales vibrent :* G et R *sont des consonnes sonores.*

Différences entre le G et le R

G	R
— C'est le milieu du dos de la langue qui remonte vers le palais, pour fermer complètement le passage de l'air.	— C'est l'arrière du dos de la langue qui remonte vers la luette, tout en laissant toujours passer l'air.
— Le G, comme le K, ne peut pas durer, il explose.	— Le R peut durer, on peut le prolonger.
— Pour G, les cordes vibrent pendant que la langue est appuyée contre le palais, les vibrations cessent à l'explosion.	— Pour R les cordes vocales vibrent pendant toute la durée du R.

EXERCICE 3

Les mots suivants ne s'opposent que par les deux consonnes G et R.

⊙
gui	ris
gaie	raie
goût	roue
gain	rein

⊙
gant	rang
gond	rond
bague	bar
vague	Var

PHRASES

Spéciales pour les Hispanophones ; répéter avec l'enregistrement.

⊙ J'ai heurté le pare-choc de la voiture contre le mur du garage.

Il a gardé d'horribles souvenirs de la guerre.

Il a été guéri de la gorge par un spécialiste américain.

Buvez une gorgée de ce délicieux malaga.

Je vous garantis cette guitare.

Gargarisez-vous. Prenez un grand verre de grog au rhum.

Il y a du muguet derrière la grille du parc.

Régalez-vous de ce gâteau au rhum.

EXERCICE 4

Les Hispanophones ainsi que de nombreux Asiatiques et les Germaniques devront faire spécialement attention : le son de la lettre X et du groupe CC + (I, E) se prononce KS dans les phrases suivantes.

C'est excellent !
Cet accident au Texas l'a désaxé.
Le taxi n'a pas accès au quai.
C'est un Occidental aux actions rapides.
Il a eu un succès extraordinaire.
Elle a exprimé le désir de succéder à son père.
Le boxeur était exténué.
Les marchandises sont taxées au Mexique.
Il a un accent d'Extrême-Sud.
Excusez-moi, j'étais parti en excursion.

La lettre X se prononce GZ dans les exemples suivants.

Il exige un examen des poumons.
C'est un bon exemple pour les exercices.
C'est exact, il est exonéré d'impôt.
C'est un exalté, il exagère tout.
C'est exaspérant cette exigence.
Quelle exubérance !

EXERCICE 5

Spécial pour les Turcs, Roumains, certains Slaves et Iraniens.

Les mots de l'exercice 1 ne s'opposent que par la voyelle, mais la qualité des K ou G doit être exactement la même dans les mots opposés.

⊙

gant	gui	Qu'est-ce que c'est ?
gars	gai	Qu'est-ce qu'il y a ?
caille	quille	Qu'est-ce qui se passe ?
cache	quiche	Qu'est-ce que vous avez ?
cale	quelle	Qu'est-ce que vous prenez ?
casse	caisse	Qu'est-ce que vous dites ?
compte	quête	Qu'est-ce que vous me donnez ?
coup	queue	Qu'est-ce que vous voulez ?

108

avec qui ?   lequel ?
pour qui ?   laquelle ?
sur qui ?   lesquels ?
en qui ?   lesquelles ?
de qui ?   auxquels ?
et qui ?   auxquelles ?
sans qui ?   desquels ?
par qui ?   dans lequel ?

PHRASES

A travailler avec l'enregistrement : K se prononce toujours de la même façon, quelles
que soient les voyelles qui l'entourent ; G se prononce toujours de la même façon, quelles
que soient les voyelles qui l'entourent.

A qui est cette casquette ?

C'est gai cette kermesse !

Ils ont fabriqué la quille du bateau.

Il a une mimique expressive.

Cette amicale de Turquie est très sympathique.

C'est curieux cette tradition folklorique.

Il est indiqué qu'il faut passer sur le quai.

Il est accusé d'avoir acquis des capitaux irrégulièrement.

Ils ont discuté avec le curé.

C'est indiscutable !

LEÇON 30

Le r

Type : *rare*

Les exercices suivants sont valables pour tous les groupes linguistiques.

DÉFINITION /

— Les mâchoires sont entrouvertes.

— Les lèvres sont légèrement écartées.

— La pointe de la langue est appuyée en bas, contre les dents inférieures.

— L'arrière du dos de la langue est en contact avec la luette.

— Le frottement entre la langue et la luette est très léger ; on entend le bruit de ce frottement.

— Les cordes vocales vibrent pendant l'émission du *R* (sauf quelques exceptions que nous verrons plus loin).

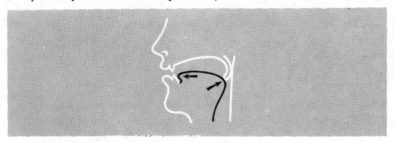

Fig. 19. — R.

FAUTE A ÉVITER / Ne pas remplacer ce *R* (dit parisien), qui s'articule au fond de la bouche, par le *R* qui existe dans beaucoup de langues et qui s'articule en avant de la bouche avec la pointe de la langue relevée contre les dents supérieures. (*Exemple : R* espagnol, slave, roumain, italien, africain, etc.) Ce *R*, qu'on appelle roulé, n'existe presque plus dans le français cultivé moderne.

CONSEILS / Ils varient avec les groupes linguistiques.

Pour les Hispanophones : remplacer le *R* soit par la *jota* comme dans *bajo* ou par *G* comme dans *hago* en espagnol. L'ajustement se fera à l'oreille avec l'enregistrement. Pour les Brésiliens ou les Portugais, utiliser le son final des infinitifs comme *faltar*.

Pour les Slaves : remplacer le *R* roulé de *rosa* en russe par exemple, par le *X* de *haos* en russe, ou par le *CH* de *chleb* en polonais, ou par le son initial du mot *hôtel* en Yougoslave.

Pour les Turcs, Arabes et de nombreux Africains : il existe dans leurs langues un son qui est articulé dans le fond de la bouche et qui ressemble à ce *R* français, par exemple dans *ahududu* en turc. ou dans le mot arabe qui veut dire frère *oh.*

Pour les Germaniques : le *CH* dans *Machen, Doch, Ach* correspond à peu près au *R* sourd (sans vibration des cordes vocales) des mots français comme *être, quatre.* Le *R* allemand de *Rund* est, selon les régions, un *R* roulé comme en espagnol ou en italien, ou un *R* uvulaire comme en français, mais le *R* uvulaire allemand est *vibré.* (On entend plusieurs vibrations de la luette, alors qu'en français il y a simplement un léger frottement sans vibration de la luette.) Ce *R* de *Rund* n'est donc pas toujours recommandable.

Pour les Anglo-Saxons, les Italiens et tous ceux qui n'ont pas, dans leur langue maternelle, un son se rapprochant du *R* parisien : il faut, soit se rapporter à une autre langue connue, possédant un son proche, (le plus souvent, on peut se rapporter à la prononciation du nom du musicien allemand J.-S. Bach), soit revoir la définition ainsi que la figure, page 97, et imiter l'enregistrement.

EXERCICE I

R + *consonne.*

Vérifier au miroir que la pointe de la langue reste bien contre les dents inférieures.

1 *La pointe de la langue reste en bas après le* R, *pour le* K.

2 *La pointe de la langue doit être en bas, même si elle doit remonter ensuite pour la consonne qui suit le* R.

1		2	
⊙ parquet	merci	par téléphone	pourtant
arcade	percé	par timidité	pourvu
arc-en-ciel	fermé	par paresse	pourquoi
par qui ?	certain	par malheur	pourboire
marquis	parfait	par bonheur	pourcentage
orchestre	pardon	par camion	pourparlers
orchidée	forcé	par centaine	poursuite
organe	tordu	par vertu	pour voir

EXERCICE 2

Consonne + R.

⊙ prom**é**nade ⊙ bras   trou   dresser
   preuve   branche   traduire   drap
   prothèse   brique   travail   drapeau
   <u>c'est pris</u>   <u>brouette</u>   trente   drainer
   c'est prêt   brie   c'est triste   dragée
   c'est prévu   bru   c'est tranquille   c'est droit
   c'est promis   c'est bref   c'est très bien   c'est drôle
   c'est prétentieux   c'est brun   c'est trop   c'est dramatique

   craie   graine   front   ouvrage
   cri   graisse   fraise   ouvrir
   cran   grève   frapper   ivresse
   crac   grammaire   c'est fragile   avril
   crise   c'est gris   c'est franc   en vrac
   crève   c'est grand   c'est frais   vraiment
   crème   c'est gros   c'est français   c'est navrant
   c'est creux   c'est grave   c'est froid   c'est vrai

   c**é**rise   je m**e** réveille   je n**e** reconnais pas
   s**é**rin   je m**e** rappelle   je n**e** recommence pas
   je s**e**rai   je m**e** recouche   je n**e** ris pas
   ce s**e**ra   je m**e** rends   je n**e** reste pas
   ça pass**e**ra   je m**e** refais   je n**e** range pas
   il faut s**e** rappeler   je m**e** repose   je n**e** rapporte pas
   il faut s**e** rendre   je m**e** remets   je n**e** réclame pas
   il faut s**e** reposer   je m**e** relève   je n**e** reviens pas

EXERCICE 3

R *entre deux voyelles.*

⊙ arrive   errer   irriter   horrible   heureux
   haricot   terrible   iris   horreur   malheureux
   arrêt   serrer   irez-vous   torride   écœuré
   <u>paraît</u>   j**e** verrai   il ira   j**e** saurai   peureux
   carré   terrain   ironie   décoré   amoureux
   carotte   terrasse   irrespect   forêt   fourrure
   la rue   erreur   irreligieux   aurore   durer
   par avion   terreur   irrégulier   ils auront   purée

EXERCICE 4

R final. *Pour le R final, il faut que les lèvres gardent la position qu'elles occupent pour la voyelle qui précède immédiatement le R.*

Exemples : PIR, *le R final est ici précédé d'un I, qui se prononce avec les lèvres écartées, donc les lèvres doivent rester écartées pour le R et jusqu'à la fin du R (à contrôler dans le miroir).*

PAR, *le R final est ici précédé d'un A, qui se prononce avec les lèvres ouvertes et les mâchoires écartées, donc les lèvres et les mâchoires doivent rester dans la même position jusqu'à la fin du R (à contrôler dans le miroir).*

POUR, *le R final est ici précédé d'un OU, qui se prononce avec les lèvres très arrondies, donc les lèvres doivent rester très arrondies jusqu'à la fin du R (à contrôler dans le miroir).*

Tous les exercices suivants doivent être faits en écoutant l'enregistrement et en contrôlant la position des lèvres dans le miroir.

1° *Lèvres écartées*		2° *Mâchoires ouvertes, pas de mouvement des lèvres*
⊙ pire	ma mère	⊙ il est tard
tire	mon père	c'est rare
dire	mon frère	c'est bizarre
lire	ça sert	le soir
cire	la guerre	à la gare
rire	le fer	c'est de sa part
c'est-à-dire	j'espère	c'est le départ
c'est le pire	il a l'air	au revoir

REMARQUE. — **Les Turcs font un R final qui ressemble au son** *ch* **du français.** *Ex.* : **pour « père », on entend « pêche ». Vérifier que la pointe de la langue est contre les dents inférieures.**

3° *Lèvres légèrement arrondies*

dehors	c'est l'heure
et alors	sa sœur
encore	j'ai peur
sors	le beurre
d'abord	j'ai mal au cœur
il est fort	les jolies fleurs
j'ai tort	quel malheur !
c'est au nord	quel bonheur !

4º *Lèvres très arrondies*

⊙ c'est sa voiture	tous les jours
c'est dur	c'est court
il a d̸é l'allure	c'est un four
il n'est pas mûr	des petits fours
j̸é vous jure	j'ai fait un tour
c'est sûr	il est sourd
elle fait une cure	c'est lourd
au fur et à m̸ésure	il est d̸é retour

EXERCICE 5

R initial. *Les lèvres doivent être dans la position qu'elles auront pour la voyelle qui suit le R.*

Exemple : RIDICULE, le R est suivi d'un I qui se prononce avec les lèvres écartées, donc avant de prononcer le I, il faut écarter les lèvres pour le R (contrôler dans le miroir).

ROUGE, le R est suivi d'un OU qui se prononce avec les lèvres très arrondies, donc avant de prononcer le OU il faut arrondir les lèvres pour prononcer le R (à contrôler dans le miroir).

Tous les mots suivants doivent être prononcés avec l'enregistrement et le miroir.

1º *Lèvres écartées*

2º *Mâchoires ouvertes, pas de mouvement spécial des lèvres*

⊙ Ridicule !	⊙ Récite-le !	Range-le !	Rends-le !
Riez !	Répète-le !	Rattrape-le !	Rallume-le !
Rien !	Récupère-le !	Rapporte-le !	Raconte-le !

3º *Lèvres arrondies*

Recule !	Robert !
Refais-le !	Roule-le !
Reçois-le !	Rouspète !

EXERCICE 6

Le préfixe RE *se réduit très souvent à* R.

⊙ J'ai fait la vaisselle.	J'ai refait la vaisselle.
J'ai pris de la viande.	J'ai repris de la viande.
J'ai lu l'article.	J'ai relu l'article.
J'ai bouché la bouteille.	J'ai rebouché la bouteille.
J'ai donné le disque.	J'ai redonné le disque.
J'ai vu sa sœur.	J'ai revu sa sœur.
J'ai déménagé.	J'ai redéménagé.
J'ai couvert le livre.	J'ai recouvert le livre.

PHRASES

Répéter avec l'enregistrement et le miroir.

⊙ J'ai perdu mon passeport dans la cour de l'Université.

J'irai à Versailles mercredi, c'est certain.

Il faudrait pouvoir fermer la porte au verrou pour voir.

J'ai cherché toute la soirée dans différents dictionnaires.

Il a tardé à remplir la formule pour obtenir une bourse du gouvernement.

La radio a retransmis une causerie sur la Russie.

Au mois de mars, j'irai en Angleterre et en Irlande.

Donnez-moi du beurre ou des confitures.

Revoir le groupe consonne + R final à *la leçon 18, page 50.*

LEÇON 31

Le l

Type : *Lille*

Les exercices suivants sont valables surtout pour les Asiatiques, les Anglo-Saxons, les Portugais, les Iraniens et les Levantins.

DÉFINITION / Les mâchoires sont entrouvertes.

La pointe de la langue touche les alvéoles, un peu en arrière des dents supérieures.

L'air s'échappe *de chaque côté de la langue*, on entend le bruit qu'il fait en s'échappant.

Les cordes vocales vibrent.

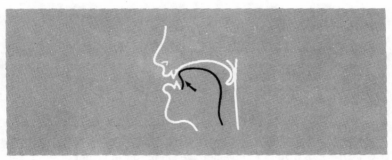

Fig. 20. — L.

FAUTES A ÉVITER / Elles diffèrent selon les groupes linguistiques, ainsi que les conseils pour les corriger.

Pour les Asiatiques : le *L* n'est pas toujours très distinct du *D*, du *N* et du *R*. L'opposition *L/R* sera étudiée dans la leçon suivante.

CONSEILS PRATIQUES / Opposition *D, N, L*.

Caractères communs à D, N, L :

— Les mâchoires sont entrouvertes.

— La pointe de la langue est contre les dents supérieures de devant.

— Les cordes vocales vibrent.

Différences entre D, N, L.

D	N	L
Les bords de la langue s'appliquent contre le pourtour de la mâchoire supérieure et débordent de celle-ci. Le contact est très étroit, l'air ne peut pas passer. D explose par la *bouche*. N peut durer, l'air passe par le *nez*.		Les bords de la langue s'appliquent contre le pourtour de la mâchoire supérieure, mais à l'intérieur de celle-ci. Le contact n'est pas très étroit et l'air peut passer. L peut durer, l'air passe par la *bouche*.

Faire les exercices suivants en écoutant l'enregistrement et en vérifiant la position de la langue dans le miroir.

EXERCICE 1

ni	dis	lit	rapine	rapide	la pile
nez	des	les	Seine	cède	celle
naît	dès	lait	dessine	décide	des cils
ne	de	le	Simone	mode	molle
nu	du	lu	Rhône	rôde	rôle
nord	dors	l'or	anneau	à dos	allô
nos	dos	l'eau	année	A.D.	allez

Pour les Anglo-Saxons, les Portugais : le L, surtout lorsqu'il est *final*, est articulé trop en arrière. La langue se creuse derrière la pointe.

CONSEILS PRATIQUES / Travailler avec le miroir et veiller à ce que les bords de la langue soient en contact avec le tour de la mâchoire supérieure et, pour éviter que la langue ne se creuse, faire un effort pour la *bomber*. Imiter l'enregistrement.

EXERCICE 2

Au commencement du mot	Au milieu du mot	A la fin du mot
⊙ lis	⊙ allez	⊙ c'est elle
lui	c'est là	elle est belle
lundi	c'est lui	quel zèle !
laisse	c'est long	c'est facile
là	prenez-les	recule
lave	changez-la	quelle foule

EXERCICE 3

L + consonne.

tout le̸ monde	dans le̸ château	chez le̸ médecin
tout le̸ temps	dans le̸ musée	chez le̸ dentiste
tout le̸ village	dans le̸ métro	chez le̸ coiffeur
tout le̸ chapitre	dans le̸ train	chez le̸ directeur
tout le̸ personnel	dans le̸ couloir	chez le̸ boucher
tout le̸ collège	dans le̸ salon	chez le̸ boulanger
tout le̸ service	dans le̸ bureau	chez le̸ charcutier
tout le̸ bois	dans le̸ laboratoire	chez le̸ cordonnier

EXERCICE 4

Pour les Iraniens et les Levantins : une voyelle s'intercale souvent entre la consonne et L. Ex. : bloc est prononcé comme baloc.

CONSEILS PRATIQUES / *Consonne + L.* On ne doit pas entendre de voyelle entre la consonne et le *L*. Il faut synchroniser la fin de la consonne avec le commencement du *L*.

pli	blé	clique	c'est un plaisir.
plaît	bloc	clip	c'est plus difficile.
plat	Blin	clé	c'est en anglais.
plein	blanc	clair	c'est bloqué.
plan	blond	claque	ça s'explique.
plomb	bled	cloque	il s'est appliqué.
plus	blême	cloche	il est enflé.
pleure	blâme	chlore	je̸ l'ai appe̸lé.

PHRASES

Travailler avec l'enregistrement.

⊙ Elle a de̸ jolies ailes bleues, cette hirondelle.

C'est sale et sans élégance.

C'est celle qu'elle appelle Gisèle, il me semble.

Adèle va au bal des Pe̸tits Lits Blancs.

Elle est folle d'y aller seule.

C'est drôle toute cette foule espagnole.

Tout le̸ monde l'appelle made̸moiselle au lieu de̸ madame.

Ça ne̸ me plaît pas parce̸ que c'est en plastique.

LEÇON 32

Opposition r/l

Type : *père* / *pelle*

Les exercices suivants sont valables surtout pour les Asiatiques et pour les Anglo-Saxons.

DÉFINITION / *Caractères communs à R et L :*

— On entend le passage de l'air par la bouche.
— Les cordes vocales vibrent.

Différences entre R et L :

— *R* s'articule avec l'arrière du dos de la langue et la luette.
— *L* s'articule avec la pointe de la langue contre les dents supérieures avant.

Fig. 21. — R.   Fig. 22. — L.

CONSEILS PRATIQUES / Tous les exercices doivent être faits avec le miroir.

EXERCICE I

Au commencement du mot			*A la fin du mot*	
⊙ ris	lis		⊙ mire	mille
raie	laid		terre	telle
rein	lin		Caire	quelle
rat	là		serre	celle
rang	lent		l'air	l'aile
roue	loue		père	pelle
rond	long		barre	balle
rue	lu		fort	folle

EXERCICE 2

par la porte	pour le soir	sur le tabouret	carrelé
par la cheminée	pour le matin	sur le fauteuil	parlez
par la fenêtre	pour le travail	sur le siège	sors-les
par la France	pour le professeur	sur le lit	Orly
par la force	pour le lundi	sur le toit	tord-le
par la radio	pour le cinéma	sur le bureau	Arlequin
par la mort	pour le théâtre	sur le livre	orlon
par la misère	pour le pays	sur le piano	par-là

EXERCICE 3

L + R

dans le rêve	une belle révélation	Réclame-le !
dans le résultat	une belle réflexion	Redis-le !
dans le respect	une belle réclame	Rapporte-le !
dans le rapport	une belle reine	Rappelle-le !
dans le rang	une belle reprise	Rends-le !
dans le regret	une belle revue	Recommence-le !
dans le refus	une belle robe	Recommande-le !
dans le rouge	une belle rose	Refais-le !

EXERCICE 4

Opposition de phrases dont le sens est différent et dont la phonétique ne varie que par l'absence ou la présence de R et L.

Je vais chercher	Je vais rechercher	Je vais le chercher
Je vais trouver	Je vais retrouver	Je vais le trouver
Je vais préparer	Je vais repréparer	Je vais le préparer
Je vais donner	Je vais redonner	Je vais le donner
Je vais balayer	Je vais rebalayer	Je vais le balayer
Je vais démonter	Je vais redémonter	Je vais le démonter
Je vais chanter	Je vais rechanter	Je vais le chanter
Je vais saluer	Je vais resaluer	Je vais le saluer

PHRASES

Travailler avec l'enregistrement et le miroir.

⊙ Il est très difficile de se rappeler les lois.

Elle a répondu qu'elle ne croit pas pouvoir le faire.

J'espère qu'il lira les romans de Montherlant.

Il a lu dans la rue qu'il y aurait une grève.

Il faut améliorer le rendement de l'agriculture.

Je balayerai la galerie du premier étage.

Il est célibataire, il habite seul rue de Rivoli.

Elle ira à l'Opéra pour entendre « L'Arlésienne ».

Quand est-ce qu'il part le Président ?

Quand est-ce qu'il parle le Président ?

LEÇON 33

Les consonnes géminées

Type : *bonne nuit*

Ces exercices sont valables pour tous les groupes linguistiques.

DÉFINITION / Quand un mot se termine par une consonne prononcée, et que le mot suivant commence par la même consonne, les deux consonnes, dites *géminées*, sont prononcées.

FAUTES A ÉVITER / Il ne faut pas prononcer deux consonnes séparées. Ne pas prononcer une seule consonne longue.

CONSEILS PRATIQUES / Dans *bonne nuit*, on n'entend pas *bo-nuit* avec un seul *n*. De même dans *comme moi*, on n'entend pas *co-moi* avec un seul *m*. Le *M* s'articule avec les deux lèvres, qui s'appuient l'une contre l'autre. Entre les deux *M*, les lèvres doivent rester en contact, mais avec deux pressions successives, c'est-à-dire une pression pour chaque *M*.

Quels que soient les muscles entrant en jeu pour articuler des consonnes géminées, le travail de ces muscles doit toujours être le même :

1º Mise en position des muscles pour les consonnes (ici les lèvres l'une contre l'autre).

2º Une pression.

3º Une dépression.

4º Une seconde pression.

5º Détente des muscles mis en jeu, pour la voyelle suivante.

Les exercices suivants devront être faits avec l'enregistrement et le miroir.

EXERCICE I

M + M (les deux lèvres).

⊙ Je me marie	⊙ Madame Mercier
Je me maquille	Madame Moussu
Je me méfie	Madame Moreau
Je me moque	Madame Maury

122

EXERCICE 2

L + L (langue en avant contre dents supérieures).

⊙ Il le dit   Il l'a dit
   Il le voit   Il l'a vu
   Il le fait   Il l'a fait
   Il le prend   Il l'a pris
   Il le mange   Il l'a mangé
   Il le rend   Il l'a rendu
   Il le donne   Il l'a donné
   Il le chante   Il l'a chanté

   Chez lé libraire   Dans lé lac
   Chez lé laitier   Dans lé lait
   Chez lé livreur   Dans lé lit
   Chez lé lecteur   Dans lé langage
   Chez lé lieuténant   Dans lé livre
   Chez lé lampiste   Dans lé linge
   Chez lé lutteur   Dans lé leur
   Chez lé logeur   Dans lé liquide

EXERCICE 3

N + N (langue en avant contre dents supérieures).

⊙ Une nuit   Je né nie pas   Donne-nous du pain
   Une naissance   Je né nage pas   Donne-nous du vin
   Une nappe   Je né nettoie pas   Donne-nous du lait
   Une nation   Je né nasalise pas   Donne-nous du sucre
   Une nécessité   Je né navigue pas   Donne-nous du beurre
   Une négligence   Je né néglige pas   Donne-nous du café
   Une noce   Je né négocie pas   Donne-nous du chocolat
   Une nouvelle   Je né nomme personne   Donne-nous du thé

EXERCICE 4

D + D *(langue en avant contre dents supérieures).*

⊙ Jé viens dé demander
  Jé viens dé dire
  Jé viens dé dépasser
  Jé viens dé doubler
  Jé viens dé déboucher
  Jé viens dé déballer
  Jé viens dé disputer
  Jé viens dé deviner

Il n'y a pas dé dame
Il n'y a pas dé dentifrice
Il n'y a pas dé dactylo
Il n'y a pas dé double
Il n'y a pas dé doute
Il n'y a pas dé dépêche
Il n'y a pas dé danger
Il n'y a pas dé demande

Voir leçon 28 p. 85.

EXERCICE 5

R + R *(dos de la langue contre la luette).*

⊙ Pour répondre
  Pour repartir
  Pour refaire
  Pour récompenser
  Pour rentrer
  Pour réparer
  Pour recopier
  Pour régler

Par respect
Par réflexion
Par reconnaissance
Par recommandation
Par radio
Par rangée
Par rail
Par rafale

Il courra
Il mourra
Il tiréra
Il garéra
Il duréra
Il barréra
Il acquerra
il secourra

EXERCICE 6

S + S *(langue contre les dents avant, fermées).*

⊙ Il faut sé servir
  Il faut sé séparer
  Il faut sé sacrifier
  Il faut sé secouer
  Il faut sé savonner
  Il faut sé satisfaire
  Il faut sé sauver
  Il faut sé sécher

Dans cé cercle
Dans cé cirque
Dans cé circuit
Dans cé sac
Dans cé sol
Dans cé sapin
Dans cé salon
Dans cé service

PHRASES

Répéter avec l'enregistrement.

Le pape parle à la radio.

Ça ne trompe personne.

Elle a une robe blanche.

Ça tombe bien.

Ça tente tout le monde.

Il est sans doute timide.

Il y a du monde dans la boutique.

Elle est avec Catherine.

Avec qui ?

C'est une bague garantie.

La digue glisse.

Son père répond de lui.

C'est pour rire.

Il est seul le dimanche.

Elle le connaît bien.

Une salade de tomates, s'il vous plaît.

Elle danse si bien.

Appelez Police-Secours.

Sauf février.

C'est une étoffe fameuse.

Ils peuvent vous être utiles.

Ils savent vous convaincre.

Téléphone-nous ce soir.

Bonne nuit.

Au même moment.

Comme moi.

Il couche chez sa mère.

Il se fâche chaque fois.

Je ne mange jamais de viande.

C'est à cet âge généralement.

LEÇON 34

La liaison [1]

Type : *les enfants sont en Alsace*

Les exercices suivants sont valables pour tous les groupes linguistiques.

DÉFINITION / Quand un mot se termine par une consonne habituellement non prononcée et que le mot suivant commence par une voyelle, quelquefois, la consonne finale se prononce au commencement du mot suivant. C'est un cas particulier de l'enchaînement (voir p. 2).

FAUTES A ÉVITER / Faire la liaison quand elle est *interdite*. Ne pas faire la liaison quand elle est *obligatoire*.

CONSEILS PRATIQUES / Quand la liaison est interdite :

a) Le premier mot peut se terminer phonétiquement par une voyelle. Dans ce cas, les deux mots subissent l'enchaînement vocalique (voir leçon 2, p. 6).

Ex. : Le matin à sept heures : pas de liaison avec *n*, mais enchaînement des deux voyelles, ɛ̃ et a.

b) Le premier mot peut se terminer phonétiquement par une consonne prononcée. Dans ce cas, les deux mots subissent l'enchaînement consonantique (voir leçon 1, p. 2).

Ex. : Elles sont grandes aussi.

(Le *au* de *aussi* est enchaîné au *d* de *grandes*).

EXERCICE I

Liaison interdite avec :

1° *Un nom au singulier.*

⊙ J'ai le pied écorché.
Il a un galop irrégulier.
Mon nom est grec.
C'est un shampoing aux œufs.
Le fusil est chargé.

⊙ C'est un enfant anémique.
Du riz à l'eau, s'il vous plaît.
Un monsieur a sonné.
Le temps a changé.
La paix est signée.

---

(1) Voir *Aide-mémoire d'Orthoépie* pour les règles détaillées.

2º *Avec et.*

⊙ Et alors ?   Et on attend !
   Et encore...   Et il ira.
   Et ensuite ?   Et attention !
   Et où ça ?   Et elle viendra.
   Et elle ?   Vingt et un.

3º *Avec H aspiré.*

⊙ Ces haricots
   Ces hasards
   Ces hauteurs
   Ces hors-d'œuvre
   Ces haies
   Ces huitièmes
   Ces héros

4º *Avec les mots terminés par une nasale (voir leçon 10, p. 31).*

EXERCICE 2

Liaison obligatoire avec :

1º *T.*

⊙ Un petit homme   C'est à moi   Il est utile   Vingt ans
   Un petit avion   C'est à toi   Il est heureux   Vingt hommes
   Un petit ami   C'est à lui   Il est adorable   Vingt heures
   Un petit ange   C'est à elle   Il est amoureux   Vingt années
   Un petit opéra   C'est à nous   Il est honnête   Vingt enfants
   Un petit orchestre   C'est à vous   Il est intelligent· Vingt avions
   Un petit espoir   C'est à elles Il est élégant   Vingt invitations

2º *D qui devient T.*

⊙ Un grand homme   Quand elle viendra   Quand on veut
   Un grand avion   Quand elle ira   Quand on peut
   Un grand escroc   Quand elle saura   Quand on fait
   Un grand orchestre   Quand elle lira   Quand on va
   Un grand oiseau   Quand elle dira   Quand on a
   Un grand opéra   Quand elle chantera   Quand on boit
   Un grand amour   Quand elle passera   Quand on voit

REMARQUE / La consonne de liaison se prononce au commencement du mot commençant par une voyelle.

Ex. : un peti thomme

Quand est-ce que vous viendrez ?
Quand est-ce que vous irez ?
Quand est-ce que vous pourrez ?
Quand est-ce que vous saurez ?
Quand est-ce que vous chanterez ?
Quand est-ce que vous lirez ?
Quand est-ce que vous passerez ?
Quand est-ce que vous dînerez ?

REMARQUE. — On ne fait pas la liaison avec le mot *quand* si celui-ci est adverbe interrogatif.

Ex. : Quand / y allez-vous ?
Quand / est-elle partie ?
Quand / aurez-vous la réponse ?

| pas
| de
| liaison

3° *R.*

⊙ Le premier étage   Le dernier étage
Le premier avril   Le dernier ascenseur
Le premier août   Le dernier enfant
Le premier essai   Le dernier espoir
Le premier autobus   Le dernier autobus
Le premier homme   Le dernier homme
Le premier avantage   Le dernier étudiant
Le premier avion   Le dernier avion

Un léger affaissement
Un léger assourdissement
Un léger embonpoint
Un léger accent
Un léger accrochage
Un léger ennui
Un léger espoir
Un léger accident

4° *S qui devient Z.* (*Refaire les exercices de la leçon 21, p. 64.*)

5° *N.* (*Refaire les exercices de la leçon 11, pp. 33, 34 et 35.*)

6° *F qui devient V avec les mots heures et ans.*

⊙ Il est neuf heures juste.   ⊙ Il a neuf ans.
Il est neuf heures et quart.   Il a dix-neuf ans.
Il est neuf heures et demie.   Il a vingt-neuf ans.
Il est neuf heures moins le quart.   Il a trente-neuf ans.

DEUXIÉME PARTIE

RYTHME ET INTONATION

L'INTONATION FRANÇAISE

L'intonation étudiée dans ce chapitre n'est pas donnée en fonction de toutes les intonations étrangères possibles. Il y a trop de variantes différentes et la plupart n'ont guère été étudiées jusqu'à ce jour. On présente donc le système intonatif en opposant les différents types mélodiques du français les uns par rapport aux autres. Le professeur, dont l'oreille est un peu exercée, saura aisément retrouver chez ses étudiants la faute caractéristique par rapport aux schémas mélodiques français indiqués.

LEÇON 35

L'accent tonique et le groupe rythmique

DÉFINITION / L'accent tonique est l'accent normal du français, lorsqu'on parle sans émotion, sans affectation, sans insistance expressive. La **voyelle** qui reçoit l'accent est appelé *accentuée*. Les autres voyelles **sont dites** *inaccentuées*.

PLACE DE L'ACCENT TONIQUE / L'accent tonique est toujours placé **sur la** *dernière voyelle prononcée*.

> *Ex. :* Pa**ris**, Administrat**ion**, Immensi**té**, Choco**lat**.

Quand un mot se termine par un e muet qui n'est pas prononcé, l'accent tonique est sur la voyelle avant l'e muet.

> *Ex. :* **Ai**me, **En**tre, **Ta**ble, **Qua**tre, **Pre**nnent.

L'e muet final est accentué dans le seul cas du pronom personnel *le*.

> *Ex. :* Prends-**le**, Mange-**le**, Donnez-**le** (voir fasc. I p. 53)

ACCENT DE MOT ET ACCENT DE GROUPE / Lorsqu'un mot entre dans un groupe, il perd son accent au profit du groupe. Comparez :

Mons**ieur**	Monsieu̸ **Jean**	Monsieur Jean Du**pont**
Dor**mez**	Dormez **bien**	Dormez bien **vite**
Appro**chez**	Approchez-**vous**	Approchez-vous de̸ **moi**

DÉTERMINATION DE L'ACCENT DE GROUPE / Les mots se groupent entre eux pour former ce qu'on appelle un « groupe rythmique ». *Un groupe rythmique est un groupe de mots qui représente une idée.* Il forme une unité de sens.

> *Ex. :* Voulez-vous me̸ donner / le̸ gros dictionnaire / qui est sur la table ? = *3 idées = 3 groupes rythmiques.*
> Pendant les vacances de Noël / j'irai faire du ski = *2 idées* = *2 groupes rythmiques.*

Le groupe peut être très court ou très long, selon le nombre de syllabes des mots employés.

> *Ex. :* Je l'ai. Il pleut. Il fait exceptionnellement beau.

GROUPE RYTHMIQUE ET GROUPE DE SOUFFLE / Un groupe rythmique est essentiellement un groupe de mots terminé par un accent.
Un groupe de souffle est composé d'un ou de plusieurs groupes rythmiques, terminé par une *pause*. Cette pause marque une délimitation
importante pour le sens, indiquée par un signe de ponctuation (virgule,
point, etc.) ou imposée par la longueur des groupes prononcés.

DÉPLACEMENT DE L'ACCENT / Un groupe rythmique peut s'allonger
par adjonction d'un ou plusieurs mots. L'accent tonique se déplace
alors et l'intonation devient presque plate à l'intérieur du groupe, car,
en devenant inaccentués, les mots précédemment accentués perdent
leur intonation montante ou descendante.

EXERCICE I

*Travailler avec l'enregistrement. Observer les changements d'into-
nation dus à l'allongement des groupes et au déplacement de l'accent
tonique.*

⊙ — Une dame en robe **noire** a son**né**.

Une dame en robe de soie **noire** a sonné à la **porte**.

— Le **vase** est sur la **table**.

Le vase en porcelaine de **Chine** est sur la table du petit sa**lon**.

— S'il y a des **roses** dans le jar**din**, tu m'en apporte**ras**.

S'il y a des roses en bou**ton** dans le jardin de grand-**mère**,
tu m'en apporteras un bou**quet**.

— Depuis un **mois**, il y a des tou**ristes** dans tous les hô**tels**.

Depuis le mois de **juin**, il y a beaucoup de tou**ristes** dans tous
les hôtels de la **ville**.

— On a mangé de la **soupe**, du rô**ti**, de la sa**lade**, du fro**mage**
et des **fruits**.

On a mangé de la soupe à l'oi**gnon**, du rôti de **bœuf**, de la
salade d'en**dive**, du fromage **blanc**, et une salade de fruits
au **kirsch**.

LEÇON 36

La phrase énonciative

DÉFINITION / Toutes les phrases qui énoncent un fait, un jugement, une constatation, etc., sont des phrases énonciatives. Elles peuvent être affirmatives ou négatives.

Ex. : Il a plu du jeudi au samedi.
Il n'a pas plu du jeudi au samedi.

A / PHRASES A UN SEUL GROUPE RYTHMIQUE

Si une phrase n'a qu'un seul groupe rythmique, cela implique qu'il n'y a pas de mot important à l'intérieur du groupe. Dans ce cas, l'intonation sera toujours correcte si on descend en escalier de syllabe en syllabe.

⊙ *Ex. :* Elle est là.   J'ai essayé.

4		
3		
2	Elle	J'ai
	est	e
		ssay
1	là	é

⊙ *Ex. :* Cent cinquante et un.   Il est parti.

4		
3		
2	Cent	Il
	cin	est
	quante et	par
1	un	ti

Travailler les exercices suivants avec l'enregistrement en tenant compte du rythme et de l'intonation descendante.

EXERCICE 1

Rythme binaire : deux syllabes.

⊙ Mais oui.　　J'espère.　　C'est tout.　　Derrière.
Il y est.　　Allez.　　Penses-tu.　　Ça va.
Sans doute.　　En route.　　Il pleut.　　Bientôt.
C'est vrai.　　Faites vite.　　Prends-le.　　Peut-être.

EXERCICE 2

Rythme ternaire : trois syllabes.

⊙ C'est à vous.　　J'en veux un.　　Prenez-la.　　Par devant.
C'est à eux.　　J'en veux deux.　　Donnez-la.　　Jusque-là.
C'est à gauche.　　J'en veux trois.　　Mangez-la.　　Derrière toi.
C'est à droite.　　J'en veux quatre.　　Mettez-la.　　En arrière.

EXERCICE 3

Rythme quaternaire : quatre syllabes.

⊙ J'ai oublié.　　Il a perdu.　　C'est un dîner.　　Quatre-vingt-un.
J'ai pardonné.　　Il a voulu.　　C'est un dimanche.　　Quatre-vingt-onze.
J'ai allumé.　　Il a couru.　　C'est un vieillard.　　Cent vingt et un.
J'ai déjeuné.　　Il a vendu.　　C'est un fromage.　　Cent trente et un.

EXERCICE 4

Rythme quinaire : cinq syllabes.

⊙ J'étais étudiant.　　　　J'étais fatigué.
J'étais professeur.　　　　J'étais abruti.
J'étais architecte.　　　　J'étais endormi.
J'étais chirurgien.　　　　J'étais très content.

Elle avait compris.　　　　Il a oublié.
Elle avait admis.　　　　Il a pardonné.
Elle avait souri.　　　　Il a allumé.
Elle avait dormi.　　　　Il a déjeuné.

B / PHRASES A PLUSIEURS GROUPES RYTHMIQUES

Dans ce cas, on peut les considérer comme divisées en deux parties. D'abord une sorte de question, à la fin de laquelle se trouve le sommet de hauteur (c'est-à-dire la note musicale la plus haute), puis une sorte de réponse qui complète la première partie.

Ex. : Elle est arrivée ce matin.

    1. Elle est arrivée = *question (quand ?)*

    2. ce matin = *réponse.*

Ex. : Elle est arrivée ce matin par avion.

    1. Elle est arrivée ce matin = *question (comment ?)*

    2. par avion = *réponse.*

1. La phrase peut avoir deux groupes rythmiques. Le sommet de hauteur est *toujours* à la fin du premier groupe.

Faire les exercices suivants en écoutant l'enregistrement. Le sommet de hauteur est marqué d'une flèche. Ne pas monter en escalier à l'intérieur du premier groupe.

EXERCICE 5

Rythme binaire.

⊙ Mais oui bien sûr.   Allez bien vite.

Mais non voyons.   Partez tout de suite.

J'espère que non.   Vas-y mon vieux.

Peut-être ici.   C'est tout ce qu'il y a.

———

Mais si c'est vrai.   Vraiment, c'est beau.

Il vient mardi.   Franchement, c'est laid.

Faites-les ce soir.   Dites-le maintenant.

Il croit que c'est faux.   Il vient demain soir.

EXERCICE 6

Rythme trinaire.

⊙ J'ai voulu l'essayer.   J'ai acheté un chapeau.

J'ai voulu l'attraper.   J'ai acheté un manteau.

J'ai voulu l'apporter.   J'ai acheté des lunettes.

J'ai voulu l'imiter.   J'ai acheté des cigares.

⊙ J'ai demandé du café.
J'ai demandé du thé chaud.
J'ai demandé du lait froid.
J'ai demandé du vin blanc.

Demain soir à huit heures.
C'est en haut au premier.
Il m'a dit qu'il viendra.
Charles viendra à la fête.

EXERCICE 7

Rythme quaternaire.

⊙ J'ai essayé de comprendre un peu.
J'ai essayé de les attraper.
J'ai essayé de cette façon-là.
J'ai essayé de l'intéresser.
Quand elle est là, tout va très bien.
Le téléphone n'a pas sonné.
Les étudiants sont au travail.
Leur examen est difficile.

Si j'avais su, j'aurais dit non.
L'été prochain, elle reste ici.
Il est revenu la semaine dernière.
Il est parti à huit heures trente.
C'est sa belle-sœur qui me l'avait dit.
J'ai oublié mon parapluie.
Il m'a prêté son dictionnaire.
Je n'ai pas voulu lui faire de peine.

EXERCICE 8

Rythme quinaire.

⊙ Il a oublié de me les rapporter.
Il a rapporté deux jolies statues.
Il a déjeuné avec sa famille.
Il a dépensé tout ce qu'il a gagné.

Elle ne l'a pas dit à tous ses collègues.
Elle ne l'a pas fait à cause de sa mère.
Elle ne l'a pas su au moment voulu.
Elle ne l'a pas vu quand il est passé.
Si vous voulez le faire, commencez maintenant.
Si vous voulez le voir, allez-y tout de suite.
Si vous voulez le prendre, ça lui fera plaisir.
Si vous voulez le bleu, ça vous ira mieux.

Elle avait donné un beau récital.

Elle avait avoué tout cǿ qu'elle avait fait.

Elle avait tourné autour de la place.

2. La phrase peut avoir trois ou quatre groupes rythmiques *(parfois plus dans la conversation courante).*

Le sommet de hauteur, c'est-à-dire la note musicale la plus haute, est, soit à la fin du premier groupe, soit à la fin du deuxième groupe.

Ex. : Je l'ai rencontré / à la bibliothèque / c ǿ matin.

⊙ a) — 1. Je l'ai rencontré = *question (dans quelles circonstances?)*
2. A la bibliothèque c ǿ matin = *réponse.*

Dans cette interprétation, c'est le fait de la rencontre qui est le plus important. Le sommet de hauteur est alors sur la dernière voyelle de ren**con**tré. *(La syllabe finale du deuxième groupe monte aussi, mais moins.)*

On peut alors figurer ainsi le contour mélodique de cette phrase, d'après les différents **niveaux** *atteints* (1)

— **Départ (ton normal)** : niveau 2.
— **Sommet de hauteur** : niveau 3.
— **Finale** : niveau 1.

4	
3	tré
2	Jǿ l'ai rencon à la biblio thèque c ǿ ma
1	tin

⊙ b) — 1. Je l'ai rencontré / à la bibliothèque = *question (quand?)*
2. Cǿ matin = *réponse*

---

(1) Voir *Introduction à la phonétique corrective,* p. **73.**

Dans cette interprétation, c'est le lieu de rencontre, la bibliothèque, qui est le plus important. Le sommet de hauteur est alors sur la dernière voyelle de bibliothèque. (La syllabe finale du premier groupe monte aussi, mais moins.)

```
4 _____

3 _____ thèque _____

2  Jǿ l'ai rencon^tré à la biblio        cǿ ma

1 _____ tin _____
```

Travailler les exercices suivants avec l'enregistrement en remarquant le déplacement du sommet de hauteur. Veiller à ne pas monter en escalier à l'intérieur des groupes.

EXERCICE 9

⊙ Il vient dé́main avec sa femme et ses deux filles. (*N.B.*)
             1   2

C'est lui qui s'en est aperçu dès lǿ premier jour.

Si j'avais su, j'aurais dit non à cause de lui.

Jǿ n'ai pas voulu lui faire de peine parcǿ que jǿ l'aime bien.

La catastrophe aérienne s'est produite dans l'Atlantique, au large

des Açores.

Elle n'a pas répondu à la question quǿ vous lui aviez posée la

sǿmaine dernière.

L'été prochain, jǿ restǿrai là pour travailler.

Il est vǿnu la sǿmaine dernière voir mes parents.

L'examen dǿ première année qu'ils sont en train dǿ passer est

très difficile.

C'est un sujet si intéressant que j'ai abandonné tout lǿ reste

pour m'y consacrer.

N.B. — Le premier sommet de hauteur possible est marqué du chiffre 1 et le deuxième du chiffre 2. L'enregistrement observe le même ordre.

LEÇON 37

La phrase interrogative

DÉFINITION / La phrase interrogative pose une question. Elle peut être positive ou négative.

DIFFÉRENTES PHRASES INTERROGATIVES / Il faut distinguer, pour l'intonation, plusieurs types de phrases interrogatives.

A / PHRASE INTERROGATIVE A SYNTAXE ÉNONCIATIVE.

Une phrase de syntaxe énonciative peut devenir interrogative ; graphiquement on ajoute un point d'interrogation, phonétiquement la mélodie est transformée.

Ex. : Ils vont au cinéma.

	⊙ *Énonciative*	*Interrogative*
4		ma ?
3	vont	Ils vont au ciné
2	Ils au ciné	
1	ma	

Contour mélodique

montée + descente	montée seule
question + réponse	question

---

1) Voir P.-R. LÉON et M. LÉON, *Introduction à la phonétique corrective*, Hachette.

EXERCICE I

Travailler avec l'enregistrement en suivant le contour mélodique ci-dessus. Répétez alternativement après l'enregistrement les phrases énonciatives et interrogatives.

⊙ Vous avez la clé.	Vous avez la clé ?
Il est parti hier soir.	Il est parti hier soir ?
Elle est chez vous.	Elle est chez vous ?
C'est fini.	C'est fini ?
C'est lui qui a gagné.	C'est lui qui a gagné ?
Ça se mange comme dessert.	Ça se mange comme dessert ?
Il a encore plu.	Il a encore plu ?
Tu passeras la prendre.	Tu passeras la prendre ?

B / PHRASES INTERROGATIVES AVEC INVERSION.

Il y a plusieurs façons de dire une phrase interrogative avec inversion. Mais il est toujours correct de mettre le sommet de hauteur *à la fin de l'inversion*. Ensuite, il faut descendre en escalier et remonter très légèrement sur la dernière syllabe de la phrase interrogative.

⊙ *Ex. :* Avez-vous mon stylo ?

4		vous		
3	Avez-		mon	
2			sty	lo ?
1				

Noter qu'il n'y a pas de pause entre *vous* et *mon*.

EXERCICE 2

Travailler avec l'enregistrement en suivant la courbe graphique ci-dessus.

☉ Avez-vous la clé ?

Allez-vous au cinéma ?

Travaillez-vous à la bibliothèque ?

Voulez-vous du lait ?

As-tu rapporté du pain ?

As-tu besoin du dictionnaire ?

Prends-tu du café maintenant ?

Sors-tu dimanche après-midi ?

C / PHRASES INTERROGATIVES AVEC ADVERBE INTERROGATIF A L'INITIALE.

Il y a plusieurs façons de dire une phrase interrogative avec adverbe interrogatif. Mais il est toujours correct de mettre le sommet de hauteur sur la fin de l'adverbe interrogatif. Ensuite, il faut descendre en escalier et remonter très légèrement sur la dernière syllabe de la phrase interrogative.

☉ · *Ex.* : Comment avez-vous fait ça ?

4 _____

3 _____ mment _____
         Co   a

2 _____ vez-vous _____ ça ? _____
                          fait

1 _____

EXERCICE 3

Travailler avec l'enregistrement en suivant la courbe graphique ci-dessus.

⊙ Comment l'as-tu connu ?
Comment l'as-tu vendu ?
Comment l'as-tu trouvé ?
Comment l'as-tu emmené ?
Comment l'as-tu rappelé ?
Comment l'as-tu donné ?
Comment l'as-tu acheté ?
Comment l'as-tu porté ?

⊙ Pourquoi la regardez-vous ?
Pourquoi la cherchez-vous ?
Pourquoi la demandez-vous ?
Pourquoi la rappelez-vous ?
Pourquoi la donnez-vous ?
Pourquoi la servez-vous ?
Pourquoi la poussez-vous ?
Pourquoi la portez-vous ?

⊙ Combien en prend-il ?
Combien en faut-il ?
Combien en fait-il ?
Combien en compte-t-il ?
Combien en donne-t-il ?
Combien en reçoit-il ?
Combien en possède-t-il ?
Combien en pose-t-il ?

⊙ Quand ira-t-elle ?
Quand mangera-t-elle ?
Quand dînera-t-elle ?
Quand passera-t-elle ?
Quand travaillera-t-elle ?
Quand sortira-t-elle ?
Quand étudiera-t-elle ?
Quand parlera-t-elle ?

Pas de liaision avec combien et quand interrogatif.

⊙ Où va-t-on ?
Où passe-t-on ?
Où dort-on ?
Où chante-t-on ?
Où danse-t-on ?
Où mange-t-on ?
Où boit-on ?

D / PHRASES INTERROGATIVES AVEC PRONOM INTERROGATIF A L'INITIALE.

Il y a plusieurs façons de dire une phrase interrogative avec pronom interrogatif. Mais il est toujours correct de mettre le sommet de hauteur sur la fin du pronom interrogatif. Ensuite, il faut descendre en escalier et remonter très légèrement sur la dernière syllabe de la phrase inter-rogative. C'est le même processus que pour la phrase interrogative avec adverbe.

⊙ *Ex. :* Lequel as-tu choisi ?

```
4 _____ quel _____

3 _____ Le _____ as _____

2 _____ -tu _____ si ? _____
                                 choi

1 _____
```

EXERCICE 4

Écouter l'enregistrement et répéter en suivant la courbe graphique ci-dessus.

⊙ Lequél préférez-vous ?   ⊙ Quí leur a parlé ?

Lequél connaissez-vous ?   Quí leur a raconté ?

Lequél voulez-vous ?   Quí leur a téléphoné ?

Lequél donnez-vous ?   Quí leur a expédié ?

Lequél vendez-vous ?   Quí leur a apporté ?

Lequél choisissez-vous ?   Quí leur a donné ?

Lequél poussez-vous ?   Quí leur a changé ?

Lequél apportez-vous ?   Quí leur a envoyé ?

E / PHRASES AVEC ADVERBES OU PRONOMS INTERROGATIFS AU MILIEU.

L'adverbe et le pronom interrogatif ne sont pas toujours au commen-cement d'une phrase interrogative. Leur présence entraîne toujours l'inversion du sujet et du verbe.
Avec l'adverbe, l'inversion est avant; le sommet de hauteur peut donc être, soit sur la fin de l'inversion, soit sur le mot interrogatif lui-même.

Ex. : Avez-vous dit où vous voulez le faire ?

Cette phrase peut être dite avec le sommet de hauteur sur « vous »
(fin de l'inversion) ou sur « où » (adverbe interrogatif).
Avec le pronom, l'inversion est après ; le sommet de hauteur est donc
sur le pronom.

Ex. : Avec qui sort-elle ?

Le sommet de hauteur est sur « qui » pronom interrogatif.

Travailler les phrases suivantes avec l'enregistrement.

EXERCICE 5

⊙ Pouvez-vous m∅ dire où ça s∅ joue ?

Savez-vous quand il reviendra ?

Vous a-t-il dit quand il f∅ra sa conférence ?

Avez-vous expliqué comment on les fabrique ?

A-t-il écrit dans son roman comment il l'avait rencontré ?

A-t-elle dit pourquoi il a peur ?

Savez-vous pourquoi il est v∅nu ?

As-tu dit combien il t'en fallait ?

EXERCICE 6

⊙ Pour qui l'as-tu d∅mandé ?

Sur qui comptez-vous ?

En quoi est-c∅ fait ?

En quoi lui donnez-vous tort ?

Pour quoi l'avez-vous préparé ?

Pour lequel l'avez-vous fait ?

Avec lesquels travaill∅rez-vous ?

Dans l∅quel allez-vous l∅ mettre ?

REMARQUE. — L'adverbe et le pronom interrogatif peuvent être employés isolés.

> *Ex. :* — J'ai rencontré Jean.
>
> — Où ?

Dans ce cas, le mot interrogatif peut être dit sur un ton descendant ou sur un ton montant.

Si la phrase sur laquelle porte la question ne contient pas de complément de la même catégorie que l'adverbe (complément de lieu pour *où*, complément de temps pour *quand*, complément d'objet direct pour *qui*, etc.), l'adverbe pose une véritable question et le ton baisse.

> *Ex. :* — J'ai rencontré Jean (sans complément de lieu).
>
> — Où ?

Si, au contraire, la phrase sur laquelle porte la question, contient un complément de la même catégorie que l'adverbe (ici, complément de lieu), l'adverbe ne marque plus une question mais une sorte de surprise, de doute, d'incompréhension ou d'insistance, et le ton monte.

Ex. : J'ai rencontré Jean en Hollande. *(en Hollande = complément de lieu).*

> Où ?

EXERCICE 7

Travailler les phrases suivantes en opposant l'intonation des adverbes et adjectifs répondant à des phrases énonciatives de constructions différentes.

— Je pars en vacances.
— Quand ?

— Il est arrivé.
— Où ?

— Je ne bois pas de café.
— Pourquoi ?

— Je pars en vacances cet après-midi.
— Quand ?

— Il est arrivé à l'Himalaya.
— Où ?

— Je ne bois pas de café parce que ça me donne des palpitations.
— Pourquoi ?

N. B. — Noter que l'adverbe qui baisse, commence sur un ton plus haut que celui qui monte.

— Je vais l∅ faire moi-même

— Comment ?

— Voulez-vous m∅ prêter d∅
l'argent pour prendre l'autobus ?

— Combien ?

— J'ai déjeuné en ville.

— Avec qui ?

— Il y en a un des deux que je
préfère.

— Lequel ?

— Je vais l∅ faire moi-même
avec le fer à r∅passer.

— Comment ?

— Voulez-vous m∅ prêter
200 000 francs ?

— Combien ?

— J'ai déjeuné en ville avec le
ministre.

— Avec qui ?

— Je préfère celui d∅ droite.

— Lequel ?

F / PHRASES INTERROGATIVES AVEC ADJECTIF INTERROGATIF.

Comme pour les phrases interrogatives avec adverbes ou pronoms interrogatifs, le sommet de hauteur peut dans ce cas être sur l'adjectif interrogatif. Mais tandis que l'adverbe ou le pronom peuvent être indépendants, l'adjectif, lui, est toujours lié à un mot qu'il accompagne, et c'est ce mot qui porte l'accent tonique. Il faut donc monter sur l'adjectif, mais faire la dernière syllabe du mot qu'il accompagne plus longue, tandis que l'adjectif est bref.

⊙ *Ex. :* En quelle année êtes-vous venu ?

4		quelle		
		a		
3	En	**nnée**		
		êtes-		v∅nu ?
2			vous	
1				

EXERCICE 8

Travailler les phrases suivantes avec l'enregistrement, en faisant attention de ne pas frapper l'adjectif interrogatif d'un accent de force.

⊙ Quelle **heure** est-il ?

Quel **jour** sommes-nous aujourd'hui ?

Quelle est la **date** aujourd'hui ?

Quel **âge** a-t-il ?

C'est quelle é**quipe** qui a gagné ?

Quelles sont les conditions d'admis**sion** ?

Quel **train** prenez-vous ?

Avec quel ar**gent** va-t-il payer ?

G / PHRASES INTERROGATIVES AVEC « EST-CE QUE » ET « QU'EST-CE QUE ».

Il y a plusieurs façons de dire une phrase interrogative avec *est-ce que* et *qu'est-ce que*. Mais il est toujours correct de mettre le sommet de hauteur sur le *que* final de ces expressions. Ensuite, il faut descendre en escalier et remonter très légèrement sur la dernière syllabe de la phrase interrogative.

⊙ *Ex.* : Est-c$\not{e}$ que vous l'avez ach$\not{e}$té ?

```
4                          que
3                               vous
           Est-c/e                   l'a
2                                    vez        té ?
1                                          ach/e
```

⊙ *Ex. :* Qu'est-c$\not{e}$ que j'en ai fait ?

```
4
                              que
3          Qu'est-c/e              j'en
                                            fait ?
2                                      ai
1
```

EXERCICE **9**

Travailler les phrases suivantes avec l'enregistrement.

a) *Faire attention de ne pas frapper d'un accent de force le début de l'expression « Est-ce que » et « Qu'est-ce que », qui n'est pas fort.*

b) *Vérifier la position arrondie des lèvres pour le* e *de* que.

⊙   Est-cé que vous l'avez-vue ?

    Est-cé que c'est démain ?

    Est-cé que son fils est parti ?

    Est-cé que lé facteur est passé ?

    Est-cé que vous avez du pain ?

    Est-cé que sa mère est rétablie ?

    Est-cé que la radio l'a annoncé ?

    Est-cé que les journaux sont parus ?

⊙   Qu'est-cé que vous lui avez dit ?

    Qu'est-cé que tu décides ?

    Qu'est-cé que son frère demande ?

    Qu'est-cé que la maîtresse a répondu ?

    Qu'est-cé que tu veux ?

    Qu'est-cé que tu cherches ?

    Qu'est-cé que j'en ai fait ?

    Qu'est-cé que sa mère a commandé ?

EN RÉSUMÉ / Dans une phrase interrogative, il est toujours possible et correct de mettre le sommet de hauteur sur le *mot* qui exprime l'interrogation. Ensuite, il faut descendre en escalier pour remonter un peu à la dernière voyelle.

Cela ne veut pas dire que tous les Français « expriment » toujours l'interrogation de cette façon. Mais la plupart du temps les autres intonations qui mettent le sommet de hauteur sur un autre mot que celui qui porte l'interrogation, impliquent une pensée spéciale du sujet parlant. Ceci sera traité au chapitre de la phrase *implicative* (voir p. 22).

LEÇON 38

La phrase impérative

DÉFINITION / La phrase impérative est employée pour donner un ordre. Du point de vue grammatical, elle se construit avec la forme impérative. Il y a plusieurs façons de dire une phrase impérative, mais il est toujours correct de commencer assez haut pour descendre ensuite en escalier jusqu'à la fin. Cette intonation est logique, puisque le sommet de hauteur se trouve sur le premier mot, qui est toujours, à la forme impérative, le verbe qui contient l'ordre.

⊙   *Ex. :* Apportez-moi une carafe d'eau, s'il vous plaît.

```
4 ─── A ──────────────────────────────────────
            ppor
               tez
3 ──────────────────── moi ───────────────────
                    une
2 ──────────────────── ca ────────────────────
                         ra
                          fé
1 ──────────────────── d'eau ─────────────────
                              s'il vous
                                      plaît
```

EXERCICE I

⊙ Travailler avec l'enregistrement.

Donnez-moi lé dictionnaire, s'il vous plaît.

Montez-nous deux pétits déjeuners, s'il vous plaît.

Préparez-moi trois sandwiches, Madémoiselle, s'il vous plaît.

Tapez-moi cette lettre tout dé suite, s'il vous plaît.

Appélez Police-Secours.

Prenez l'autobus sur la place.

Taxi, conduisez-moi à la gare, s'il vous plaît.

Dépêche-toi d'aller à la poste.

Téléphonez immédiatément à l'hôpital.

Envoyez-nous la réponse le plus vite possible.

EXERCICE **2**

Quelquefois, le verbe est sous-entendu et on n'énonce que le complément. L'intonation reste la même que dans le cas précédent.

⊙   *Ex.* : Une bière, s'il vous plaît.

4   Une

3   bière

                         s'il

2

                                vous plaît.

1

Travaillez les phrases suivantes avec l'enregistrement.

⊙ Un apéritif et un jus de fruit, s'il vous plaît.

Un kilo de pommes, s'il vous plaît.

Une baguette et deux croissants, s'il vous plaît.

Le plein s'il vous plaît, Monsieur.

Le couvert, vite !

Un shampooing mise-en-plis, s'il vous plaît.

Deux menus à douze francs cinquante, s'il vous plaît.

Trois places à l'orchestre, s'il vous plaît.

LEÇON 39

La phrase implicative

DÉFINITION / Une phrase implicative peut avoir n'importe quelle forme déjà étudiée, mais son intonation exprime une nuance, une idée, un aspect de la pensée, qui n'est pas exprimé par le vocabulaire ou la syntaxe.

Les phrases énonciatives, interrogatives et impératives vues dans les chapitres précédents ont été étudiées et travaillées sans interprétation personnelle. Chacune d'elles peut être reprise et dite d'une façon complètement différente, selon ce que le sujet parlant a en tête.

⊙   *Ex. :* J'ai essayé (voir p. 4).

L'intonation normale de cette phrase énonciative à un groupe rythmique est descendante, avec une dénivellation très petite. Mais on peut aussi la dire tout autrement. Par exemple, si on implique « Je vous répète que j'ai tout fait pour y arriver ! », on peut partir sur un ton assez bas et monter assez haut.

⊙ 4   é

    3   ssay

    2   e

    1   J'ai

Si on implique « Ça n'a donné aucun résultat et c'est bien triste », on peut mettre le sommet de hauteur sur le premier *E* de *essayer* et descendre ensuite.

⊙ 4

    3   e

    2   ssay
              J'ai

    1   é

Si on implique « Ce n'est pas vrai, je n'ai jamais fait ça ! », on monte sur l'avant-dernière voyelle de la phrase, ici sur le *SAY* de *essayer.*

⊙ 4   ssay

3

                         e

2   J'ai   é

1

Il y a une quantité infinie de possibilités. Tout le travail des acteurs est là. Étant donné le peu de renseignements scientifiques que nous avons sur cette partie de l'intonation, il faut s'en tenir à l'imitation.

EXERCICE I

Phrases énonciatives implicatives.

⊙ Mais oui ! *(Impatience.)*

Bien sûr ! *(Lassitude.)*

C'est à vous ? *(Doute.)*

J'ai oublié ! *(Ça me revient seulement maintenant.)*

Quatre-vingt-un ! *(Ce n'est pas possible.)*

Jø suis fatigué ! *(Vous ne pouvez pas imaginer.)*

Elle avait avoué ! *(Non vraiment?)*

Il a oublié... *(Comme toujours !)*

Oui, elle est arrivée cø matin ! *(Enthousiasme.)*

Si j'avais su, j'aurais dit non... *(Vous pensez bien.)*

Jø n'ai pas voulu lui faire de peine... *(C'est pour ça.)*

Il a dépensé tout cø qu'il a gagné ! *(C'est scandaleux !)*

Jø l'ai rencontré à la bibliothèque ce matin... *(Ce n'est pourtant pas dans ses habitudes.)*

Elle n'a pas répondu à la question quø vous lui avez posée la sømaine dernière... *(Elle en était bien incapable.)*

Il va au Mexique... *(Ça m'étonnerait.)*

EXERCICE 2

⊙ *Phrases interrogatives implicatives.*

Ils vont au cinéma ? *(La veille de leur examen, quelle horreur !)*

Vous avez la clé ? *(C'est bien sûr.)*

Comment la trouvez-vous ? *(Je vous avais bien dit qu'elle était formidable !)*

Pourquoi l'as-tu gardé ? *(Puisque tu n'en voulais pas !)*

Combien serez-vous de personnes ? *(Pour un simple mariage ! c'est de la folie.)*

Quand travaille-t-elle ? *(Jamais, vous le savez bien.)*

Où allez-vous ? *(Je le sais bien, mon cher !)*

Lequel voulez-vous ? *(Prenez celui que vous voulez et qu'on en finisse !)*

Qui y a pensé ? *(C'est moi, comme toujours !)*

Avec quel argent va-t-il payer ? *(J'aimerais bien le savoir moi !)*

Qu'est-ce que j'en ai fait ? *(Je n'en ai aucune idée !)*

Est-ce que vous l'avez vu ? *(Avec cet affreux chapeau !)*

Qu'est-ce que vous lui avez dit ? *(Pour la mettre dans un état pareil !)*

Est-ce que la radio l'a annoncé ? *(Non ? bon, alors il n'y a pas de vacances.)*

Le téléphone n'a pas sonné ? *(Il me semble l'avoir entendu.)*

EXERCICE 3

Phrases impératives implicatives.

⊙ Donnez-moi le dictionnaire, s'il vous plaît ! *(Je n'ai pas confiance en votre savoir.)*

Prenez l'autobus de la place ! *(C'est bien simple.)*

Dépêche-toi d'aller à la poste... *(Voilà 1 h que je t'en parle.)*

Un kilo de pommes, s'il vous plaît... *(S'il y en a encore.)*

Trois places à l'orchestre, s'il vous plaît... *(Vous êtes sourde ou idiote ?)*

Appelez Police-Secours ! *(C'est tout ce qu'il y a à faire.)*

Deux menus à... 12,50, s'il vous plaît... *(On n'est pas très décidé.)*

Un apéritif et un jus de fruits, s'il vous plaît... *(Ça fait la quatrième fois que je le demande !)*

EXERCICE 4

Phrases exclamatives.

Ces phrases sont des phrases implicatives dont l'implication est exprimée orthographiquement par un point d'exclamation à la fin de la phrase. La phrase exclamative peut avoir deux formes tout à fait opposées.

A. Elle peut commencer très haut pour descendre très bas, en escalier, jusqu'à la dernière syllabe. En général, cette forme commence par un mot exclamatif. Elle exprime souvent la tristesse, le respect, la tendresse, l'horreur, etc.

⊙ Quelle misère d'en être là !

Que c'est beau !

Quel homme c'était !

Comme c'est gentil !

Qu'est-ce que c'est que cette histoire !

Pourquoi se donner tant de mal !

Quelle horreur !

Qu'il est mignon !

B. Elle peut commencer sur un ton normal et monter assez haut. En général, cette forme ascendante exprime l'enthousiasme, l'optimisme, la gaieté, ou quelquefois un sentiment violent, comme la colère. Le plus souvent, elle ne commence pas par un mot exclamatif.

⊙ Mais c'est formidable !

C'est magnifique !

On y va tout de suite !

C'était un homme !

Elle est tellement drôle !

Commencez le premier !

J'en ai assez !

Je suis contente !

L'INTONATION ET LA SYNTAXE

Les caractères essentiels de l'intonation française ont été dégagés dans le chapitre précédent. Mais, comme pour l'articulation, chaque nationalité applique au français les caractéristiques de son intonation nationale. En général, on retrouve les mêmes types de fautes. Néanmoins, il faut établir deux grandes catégories :

a) Les étudiants dont la langue est l'anglais, l'allemand, l'espagnol, l'italien, le roumain, les langues slaves, finno-hougrienne, grecque, scandinave. Pour eux, les fautes seront souvent, soit des fautes d'accent tonique, soit d'intonation à l'intérieur des groupes rythmiques. Ces fautes trahiront leur langue d'origine, mais n'entraveront pas la compréhension.

b) Les étudiants dont la langue est africaine, asiatique, indienne ou océanienne. Leur système d'intonation est si différent de celui du français, qu'appliqué à notre langue, celle-ci devient incompréhensible. Il est essentiel pour eux de comprendre que l'unité intonative en français est le *groupe d'idée* et, par conséquent, que l'intonation est très solidaire de la construction grammaticale. Dans les chapitres suivants seront travaillés différents points d'intonation (liés à la grammaire), et qui donnent toujours plus ou moins de difficultés aux professeurs.

Néanmoins, les leçons suivantes présenteront des exercices pratiques dont les différents aspects seront valables pour tous les groupes linguistiques.

156

LEÇON 40

Les noms

Un groupe de mots formant une idée et ayant une fonction grammaticale globale n'a qu'un seul accent tonique et forme un seul groupe rythmique. Par exemple, dans un mot composé comme « Tour Eiffel » qui, dans la phrase suivante, est un complément d'objet direct :

Ex. : On voit la Tour Eiffel longtemps avant d'arriver à Paris.

le mot *tour* n'est qu'une syllabe inaccentuée du mot « Tour Eiffel », qui se prononce exactement comme s'il était écrit en un seul mot « Toureiffel », parce qu'il représente une seule idée et un élément grammatical complet.

EXERCICE I

Travailler les phrases suivantes avec l'enregistrement, en veillant à ne mettre qu'un seul accent tonique sur le mot composé et à la fin de celui-ci.

Je serai aux Champs-Elysées à deux heures cet après-midi.

Il y a beaucoup de gratte-ciel aux États-Unis.

Il me faut le tire-bouchon pour ouvrir cette bouteille.

J'ai laissé mon porte-cigarettes dans ma chambre.

Le garde-barrière ferme le passage à niveau.

J'ai retenu ma place à Air-France.

Il est professeur dans une école de sourds-muets.

C'est le concierge qui a le passe-partout.

Cette tradition remonte au Moyen-Âge.

Vous n'avez qu'à acheter un compte-gouttes.

EXERCICE 2

Les noms propres composés d'un prénom et d'un nom de famille, de plusieurs prénoms ou de plusieurs noms, ne portent qu'un seul accent tonique aussi.

◉ Jean-Paul Sartre est un philosophe contemporain.

Catherine de Médicis était la femme d'Henri II.

Saint-Exupéry est l'auteur du *Petit Prince*.

Avez-vous lu les théories explicatives de l'évolution dans « la Vie » de Jean Rostand ?

La compagnie Madeleine Renaud-Jean-Louis Barrault a monté plusieurs pièces de Tchékov.

EXERCICE 3

Les appellations et les titres font corps avec le nom qu'ils accompagnent, et c'est la fin du groupe qui porte l'accent tonique.

◉ Saint Vincent de Paul a fondé la congrégation des Filles de la Charité.

Le secrétaire Jean Pardot vous recevra demain.

Le général de Gaulle a rallié les forces françaises libres en juin 1940.

C'est le président-directeur général Pierre Durand qui posera la première pierre du nouveau groupe scolaire.

EXERCICE spécial pour les anglophones

Les mots qui existent dans les deux langues sous la même forme sont souvent dits avec un déplacement d'accent tonique.

Travailler les mots suivants avec l'enregistrement.

⊙ Impress*ion*,   ⊙ gouvernem*ent*,   ⊙ servili*té*,   ⊙ atom*ique*,
rela*tion*,   appartem*ent*,   sensibili*té*,   chim*ique*,
frustra*tion*,   diction*naire*,   sensuali*té*,   arse*nic*,
na*tion*,   sal*aire*,   rad*io*,   méd*ecine*,
pass*ion*,   éventuali*té*,   direct*eur*,   ar*tiste*,
nation*al*,   séréni*té*,   phys*ique*,   pacif*ique*,

EXERCICE 5

Les noms suivis d'un complément se comportent comme les noms composés. L'accent tonique se place à la fin du groupe, qui est plat, excepté s'il est final. Dans ce cas, il descend en escalier.

Travailler les phrases suivantes avec l'enregistrement :

⊙ Le train de Paris a cinq minutes de retard.

La concierge du lycée m'a renvoyé mon courrier.

Ses boucles d'oreilles sont très anciennes.

La foire de Strasbourg a lieu tous les ans, à la même époque.

C'est un homme d'affaires très occupé.

Envoyez-moi tout de suite un extrait de naissance.

Il faut lui écrire une lettre de condoléances.

Je l'ai vu lui donner une poignée de main.

Donnez-moi votre numéro de téléphone.

Il faut écrire au rédacteur du journal.

EXERCICE 6

Les noms suivis ou précédés d'un adjectif se comportent aussi comme un seul mot. Par exemple « une jolie robe » et « une robe longue » sont deux groupes de même valeur. Les deux expressions porteront un seul accent tonique sur leur dernière syllabe. Selon leur place dans la phrase, cet accent tonique montera (au milieu de la phrase) ou descendra (à la fin de la phrase).

⊙   *Ex.* : Une jolie robe n'est pas forcément chère.

Une jolie robe : *sujet (article + adjectif + nom) au milieu de la phrase :*
le ton monte.

⊙   *Ex. :* C∅ n'est pas forcément cher une jolie robe.

Une jolie robe : *sujet réel (article + adjectif + nom) à la fin de la phrase :*
le ton descend.

⊙   *Ex. :* Une robe longue n'est pas forcément chère.

Une robe longue : *sujet (article + nom + adjectif) au milieu de la*
phrase : le ton monte.

⊙   *Ex. :* C∅ n'est pas forcément cher une robe longue.

Une robe longue : *sujet réel (article + nom + adjectif) à la fin de la*
phrase : le ton descend.

On peut conclure, d'après ces phrases, que l'accent tonique monte
ou descend, selon sa place dans la phrase. Et c'est selon l'importance
qu'on lui donnera dans la phrase qu'il montera plus ou moins haut.

Travailler les phrases suivantes avec l'enregistrement :

⊙ C'est cette jeune fille-là qui m'a répondu.

Je n∅ connais pas cette jeune fille-là.

Ils habitent dans une grande maison à la campagne.

Ils habitent à la campagne dans une grande maison.

C∅ musée est r∅marquablement bien installé.

Il est r∅marquablement bien installé c∅ musée.

Leur fils aîné est très intelligent.

Il est très intelligent leur fils aîné.

Les souv∅rains voisins sont v∅nus en dix-neuf cent soixante.

C'est en dix-neuf cent soixante que sont v∅nus les souv∅rains
voisins.

LEÇON 41

Les pronoms toniques et atones

Le pronom peut être tonique ou atone, selon sa fonction et sa place par rapport au verbe.

I. Le pronom tonique et le pronom atone de la même personne ont une forme différente.

Ex. : *Je* ne sais pas : *je* est un pronom atone.

Il *me* l'a dit : *me* est un pronom atone.

Venez avec *moi : moi* est un pronom tonique.

Cette différence de forme facilite le moyen de déterminer l'intonation.

S'il est *final*, un pronom *tonique descend*.

S'il n'est *pas final*, un pronom *tonique monte*.

Quelle que soit sa position, un pronom *atone* est *plat*.

EXERCICE I

Travailler les exemples suivants avec l'enregistrement.

⊙ C'est à moi de commencer. | Il est venu avec moi.
C'est à toi de commencer. | Il est venu avec toi.
C'est à lui de commencer. | Il est venu avec lui.

C'est à elle de commencer. | Il est venu avec elle.
C'est à nous de commencer. | Il est venu avec nous.
C'est à vous de commencer. | Il est venu avec vous.
C'est à eux de commencer. | Il est venu avec eux.
C'est à elles de commencer. | Il est venu avec elles.

Mes amis me reçoivent.	Il me voit.
Mes amis te reçoivent.	Il te voit.
Mes amis le reçoivent.	Il le voit.
Mes amis la reçoivent.	Il la voit.
Mes amis nous reçoivent.	Il nous voit.
Mes amis vous reçoivent.	Il vous voit.
Mes amis les reçoivent.	Il les voit.

II. Le pronom tonique et le pronom atone d'une même personne ont la même forme.

Ex. : Il *le* cherche (atone). — Cherche-*le* tout de suite (tonique).

Pour l'intonation, ils suivent les mêmes règles énoncées précédemment pour les pronoms qui ont des formes différentes :

— Le pronom est tonique final, le ton descend.
— Le pronom est tonique non final, le ton monte.
— Le pronom est atone final ou non, le ton est plat.

EXERCICE 2

Travailler les exemples suivants avec l'enregistrement.

⊙ Il le cherche tout de suite.	⊙ Cherche-le tout de suite.
Il le promène tout de suite.	Promène-le tout de suite.
Il le conduit tout de suite.	Conduis-le tout de suite.
Il le prend tout de suite.	Prends-le tout de suite.
Il le cache tout de suite.	Cache-le tout de suite.
Il le lit tout de suite.	Lis-le tout de suite.
Il le dit tout de suite.	Dis-le tout de suite.
Il le fait tout de suite.	Fais-le tout de suite.

Cherche-le.   Cache-le.

Mange-le.   Lis-le.

Bois-le.   Dis-le.

Prends-le.   Fais-le.

REMARQUE. — L'intonation des pronoms *le* tonique et atone est la même pour les autres pronoms : la, nous, vous, les.

Ex. : Il la cherche tout de suite — Cherche-la tout de suite — Cherche-la.

EXERCICE 3

La forme du pronom peut changer avec la catégorie du verbe. Par exemple : « je le trouve » mais « je lui parle ». Dans ces deux cas, le pronom est atone et dit sur un ton plat. Mais tout comme le pronom le, le pronom **lui** *peut aussi être tonique.*

Ex. : Elle *lui* écrit tous les jours (atone).

C'est *lui* qui écrit (tonique).

Travailler les exemples suivants avec l'enregistrement.

⊙ Paul lui prépare le café.   ⊙ C'est lui qui prépare le café.

Paul lui raconte une histoire.   C'est lui qui raconte une histoire.

Paul lui lit le journal.   C'est lui qui lit le journal.

Paul lui fait des gâteaux.   C'est lui qui fait des gâteaux.

Paul lui donne des bonbons.   C'est lui qui donne des bonbons.

Paul lui joue du piano.   C'est lui qui joue du piano.

Paul lui cède sa place.   C'est lui qui cède sa place.

Paul lui prête de l'argent.   C'est lui qui prête de l'argent.

⊙ C'est lui qui lui prépare le café

C'est lui qui lui raconte une histoire.

C'est lui qui lui lit le journal.

REMARQUE. — On peut refaire l'exercice avec les pronoms toniques et atones : nous, vous.

EXERCICE 4

Les pronoms et les adjectifs nôtre, vôtre, notre *et* votre *méritent une mention spéciale. Le timbre, la longueur et le ton changent selon la catégorie grammaticale à laquelle ils appartiennent.*

PRONOMS nôtre, vôtre	*ADJECTIFS* notre, votre + *nom*
— *Timbre :* O *fermé. Lèvres très arrondies.*	— *Timbre* O *ouvert. Lèvres peu arrondies.*
— *Longueur : plus long que les autre voyelles.*	— *Longueur normale.*
— *Intonation : final; descendant; non final; montant.*	— *Intonation plate.*

Le traitement de la syllabe finale « tre » *varie selon que le mot suivant commence par une consonne ou une voyelle.*

Répéter les phrases suivantes avec l'enregistrement.

1° Pronom + consonne : *Tr* + *E muet final, prononcé sur un ton beaucoup plus bas.*

⊙ C'est l$\cancel{e}$ nôtre qui avance.   ⊙ C'est l$\cancel{e}$ vôtre que j$\cancel{e}$ préfère.

C'est l$\cancel{e}$ nôtre qui perd.   C'est l$\cancel{e}$ vôtre que j$\cancel{e}$ connais.

C'est l$\cancel{e}$ nôtre qui essaye.   C'est l$\cancel{e}$ vôtre que j$\cancel{e}$ veux.

C'est l$\cancel{e}$ nôtre qui gagne.   C'est l$\cancel{e}$ vôtre que j$\cancel{e}$ cherche.

C'est l$\cancel{e}$ nôtre qui part.   C'est l$\cancel{e}$ vôtre que j$\cancel{e}$ demande.

C'est l$\cancel{e}$ nôtre qui arrive.   C'est l$\cancel{e}$ vôtre que j$\cancel{e}$ prends.

C'est l$\cancel{e}$ nôtre qui pousse.   C'est l$\cancel{e}$ vôtre que j$\cancel{e}$ lis.

C'est l$\cancel{e}$ nôtre qui tire.   C'est l$\cancel{e}$ vôtre que j$\cancel{e}$ refuse.

REMARQUE. — Dans le français familier le R et le E muet final tombent (1).

_____

(1) Voir Fascicule I. *Exercices systématiques d'articulation*, p. 52.

2º Pronom + voyelle : *E muet final ne se prononce pas, la consonne finale + R passent à l'initiale du mot suivant (cf. leçon 1 sur l'enchaînement consonantique) et se prononcent beaucoup plus bas* (1).

⊙ Le nôtré a avancé.

Le nôtré a gagné.

Le nôtré a perdu.

———————————

Le nôtré a essayé.

Le nôtré est parti.

Le nôtré est arrivé.

Le nôtré est caché.

Le nôtré est tiré.

⊙ Le vôtré est bien.

Le vôtré est là.

Le vôtré ira.

———————————

Le vôtré attend.

Le vôtré entend.

Le vôtré a tort.

Le vôtré a raison.

Le vôtré arrive.

EXERCICE 5

Répéter les phrases suivantes avec l'enregistrement.

1º Adjectif + consonne : *Tr + E muet final, se prononce sur le même ton plat que les syllabes* no *et* vo.

⊙ C'est notre fille.

C'est notre fils.

C'est notre chien.

———————————

C'est notre maison.

C'est notre train.

C'est notre journal.

C'est notre bureau.

C'est notre jardin.

⊙ Chez votre mère.

Chez votre père.

Chez votre frère.

———————————

Chez votre sœur.

Chez votre tante.

Chez votre coiffeur.

Chez votre professeur.

Chez votre directeur.

REMARQUE. — **Dans le français familier, le R et le E muet final tombent** (1).

———————————

(1) Voir Fascicule I. *Exercices systématiques d'articulation,* p. 2.

2º Adjectif + voyelle : *E muet final ne se prononce pas, la consonne finale + R passent à l'initiale du mot suivant (cf. leçon 1 sur l'enchaînement consonantique) et se prononcent sur le même ton plat que les syllabes no et vo (1).*

⊙ C'est notr~~e~~ amie.

    C'est notr~~e~~ idée.

    C'est notr~~e~~ habitude.

    C'est notr~~e~~ erreur.

    C'est notr~~e~~ espoir.

    C'est notr~~e~~ avis.

    C'est notr~~e~~ histoire.

    C'est notr~~e~~ exemple.

⊙ Chez votr~~e~~ amie.

    Chez votr~~e~~ oncle.

    Chez votr~~e~~ agent.

    Chez votr~~e~~ ouvrier.

    Chez votr~~e~~ employé.

    Chez votr~~e~~ assistant.

    Chez votr~~e~~ électricien.

    Chez votr~~e~~ enfant.

EXERCICE 6

Certains mots peuvent passer de la catégorie atone à la catégorie tonique C'est la fonction et la place du mot dans la phrase qui déterminent l'intonation qu'on doit lui donner.

Ex. : le mot *l'autre* dans les deux phrases suivantes :

     1. *L'autre* jour, j'ai rencontré madame Dupont.

L'autre *est ici atone, il accompagne le mot* jour.

     2. C'est *l'autre* que j~~e~~ veux voir.

L'autre *est ici tonique, il remplace un nom.*

Dans la phrase 1, l'autre *est dit sur un ton plat et l'accent tonique est sur le mot* jour.

Dans la phrase 2, l'autre *porte l'accent tonique, et il est dit sur la note la plus haute de la phrase.*

_____

(1) Voir Fascicule I. *Exercices systématiques d'articulation* p. 2.

L'exercice suivant présente deux séries de phrases simples, dans lesquelles le même mot est tour à tour atone et tonique. Imiter l'enregistrement.

⊙ Le deux octobre, c'est la ren-trée. | C'est le deux qu'on rentre.

Quatre passagers ont été re-trouvés. | Quatre ont été retrouvés.

Elles ont la même robe aujour-d'hui. | Elles ont la même aujourd'hui.

Le vrai portrait de la Joconde est au Louvre. | C'est le vrai qui est au Louvre.

Certains programmes de la Télévision sont excellents. | Les programmes sont généra-lement bons, certains sont excel-lents.

Les petits enfants sont très sé-rieux. | Les petits sont très sérieux.

Donnez-moi une longue ficelle, s'il vous plaît. | Donnez-moi la plus longue, s'il vous plaît.

Il y a un gros moustique sur le mur. | Regarde le gros sur le mur.

LEÇON 42

Le verbe

Nous avons vu qu'un mot ou un groupe de mots formant une idée et ayant une fonction grammaticale globale n'a qu'un seul accent tonique. Ce mot ou ce groupe de mots peut être un verbe ou une expression verbale. Il sera toujours correct de mettre l'accent tonique sur le dernier mot du groupe. S'il est final, l'intonation descendra ; s'il n'est pas final, on montera sur le dernier mot du groupe.

⊙   *Ex. :* Toute la matinée, ils ont étudié.

4 _____

3   née

2   Toute la mati   ils ont é

1   tu
                                   dié

⊙   *Ex. :* Ils ont étudié toute la matinée.

4 _____

3   dié

2   Ils ont étu   toute la ma

1   ti
                            née

Les exercices suivants opposeront des phrases simples dans lesquelles l'expression verbale sera successivement :

1° Un verbe simple, formant à lui seul, avec un pronom, une phrase courte et complète.

    Ex. : Je travaille.

2° Un verbe + un complément.

    Ex. : Je travaille toute la journée.

168

3º Un verbe composé d'un ou plusieurs auxiliaires et d'un verbe principal.

Ex. : Tu aurais dû partir.

4º Un verbe ou une expression verbale accompagné d'un adverbe.

Ex. : Il a beaucoup dormi.

EXERCICE I

⊙ Je travaille.
Je lis.
Je réfléchis.
Je tricote.

Je conduis.
Je tape.
Je couds.
Je parle.

Je travaille toute la journée.
Je lis toute la journée.
Je réfléchis toute la journée.
Je tricote toute la journée.

Je conduis toute la journée.
Je tape toute la journée.
Je couds toute la journée.
Je parle toute la journée.

⊙ J'ai travaillé toute la journée.

J'ai lu toute la journée.
J'ai réfléchi toute la journée.

J'ai tricoté toute la journée.

J'ai conduit toute la journée.

J'ai tapé toute la journée.
J'ai cousu toute la journée.
J'ai parlé toute la journée.

J'ai bien travaillé toute la journée.

J'ai bien lu toute la journée.
J'ai bien réfléchi toute la journée.

J'ai bien tricoté toute la journée.

J'ai bien conduit toute la journée.

J'ai bien tapé toute la journée.
J'ai bien cousu toute la journée.
J'ai bien parlé toute la journée.

EXERCICE 2

⊙ Il dort. | Il dort dans sa chambre.
Il mange. | Il mange dans sa chambre.
Il boit. | Il boit dans sa chambre.
Il fume. | Il fume dans sa chambre.

Il marche. | Il marche dans sa chambre.
Il cherche. | Il cherche dans sa chambre.
Il chante. | Il chante dans sa chambre.
Il tape. | Il tape dans sa chambre.

Il a dormi dans sa chambre. | Il a tranquillement dormi dans sa chambre.

Il a mangé dans sa chambre. | Il a tranquillement mangé dans sa chambre.

Il a bu dans sa chambre. | Il a tranquillement bu dans sa chambre.

Il a fumé dans sa chambre. | Il a tranquillement fumé dans sa chambre.

Il a marché dans sa chambre. | Il a tranquillement marché dans sa chambre.

Il a cherché dans sa chambre. | Il a tranquillement cherché dans sa chambre.

Il a chanté dans sa chambre. | Il a tranquillement chanté dans sa chambre.

Il a tapé dans sa chambre. | Il a tranquillement tapé dans sa chambre.

EXERCICE 3

⊙ Tu devrais partir. | Tu devrais partir avec eux.
Tu devrais sortir. | Tu devrais sortir avec eux.
Tu devrais déjeuner. | Tu devrais déjeuner avec eux.
Tu devrais y aller. | Tu devrais y aller avec eux.

Tu devrais jouer. | Tu devrais jouer avec eux.
Tu devrais essayer. | Tu devrais essayer avec eux.
Tu devrais chanter. | Tu devrais chanter avec eux.
Tu devrais discuter. | Tu devrais discuter avec eux.

⊙ Tu aurais dû partir avec eux. | Tu aurais sûrement dû partir avec eux.

Tu aurais dû sortir avec eux. | Tu aurais sûrement dû sortir avec eux.

Tu aurais dû déjeuner avec eux. | Tu aurais sûrement dû déjeuner avec eux.

Tu aurais dû y aller avec eux. | Tu aurais sûrement dû y aller avec eux.

Tu aurais dû jouer avec eux. | Tu aurais sûrement dû jouer avec eux.

Tu aurais dû essayer avec eux. | Tu aurais sûrement dû essayer avec eux.

Tu aurais dû chanter avec eux. | Tu aurais sûrement dû chanter avec eux.

Tu aurais dû discuter avec eux. | Tu aurais sûrement dû discuter avec eux.

LEÇON 43

La forme négative

Comme pour la forme interrogative, on peut toujours appliquer une loi d'intonation simple, à savoir qu'il est toujours correct de placer le sommet de hauteur sur la fin de la négation dans une phrase négative, à condition toutefois que l'adverbe de négation ne soit pas final de phrase. Le schéma intonatif d'une phrase affirmative transformée en phrase négative variera donc de la façon suivante :

⊙ 1. Je sais où il est.   ⊙ 2. Je ne sais pas où il est.

4				
3	sais		pas	
2	Je où		Je ne sais où	
1	il est		il est	

Dans la phrase 1, le sommet de hauteur est sur le verbe *sais;* dans la phrase 2, il est sur le *pas* de négation.

EXERCICE I

Travailler les exemples suivants en opposant les sommets de hauteur, dans les phrases positives et dans les phrases négatives, avec l'enregistrement.

⊙

Jé sais où il était.	Je né sais pas où il était.
Jé sais où il allait.	Je né sais pas où il allait.
Jé sais où il habitait.	Je né sais pas où il habitait.
Jé sais où il déjeunait.	Je né sais pas où il déjeunait.
Jé sais où il travaillait.	Je né sais pas où il travaillait.
Jé sais où il jouait.	Je né sais pas où il jouait.
Jé sais où il étudiait.	Je né sais pas où il étudiait.
Jé sais où il passait.	Je né sais pas où il passait.

Si l'adverbe de négation est à la finale de la phrase et qu'elle ne soit composée que d'un seul groupe, son intonation est en escalier :

⊙   *Ex. :* Je ne sais pas.

```
4  _____

3  _____

2  _____ Je né_____
                 sais
1  _____ pas _____
```

Autrement, le sommet de hauteur est placé sur l'adverbe de négation. Les exercices suivants opposeront des phrases négatives simples.

1º *L'adverbe de négation étant intercalé dans l'expression verbale :*

⊙   *Ex. :* Je n'ai pas su.

```
4  _____

3  _____ pas _____

2  _____ Jé n'ai _____
                        su
1  _____
```

2º *L'adverbe de négation étant final du premier groupe :*

⊙   *Ex. :* Je ne sais pas où il est.

```
4  _____

3  _____ pas _____

2  _____ Je né sais _____ où _____
                              il
1  _____ est _____
```

EXERCICE 2

⊙ Je ne sais pas. | Je n'ai pas su.
Je ne vois pas. | Je n'ai pas vu.
Je ne lis pas. | Je n'ai pas lu.
Je ne connais pas. | Je n'ai pas connu.

Je ne bois pas. | Je n'ai pas bu.
Je ne couds pas. | Je n'ai pas cousu.
Je ne réponds pas | Je n'ai pas répondu.
Je ne veux pas. | Je n'ai pas voulu.

⊙ Je ne sais pas ce qu'il y a.
Je ne sais pas ce qu'elle en pense.
Je ne sais pas ce que vous voulez dire.
Je ne sais pas ce que j'ai.

Je ne sais pas ce qui se passe.
Je ne sais pas ce qui arrive.
Je ne sais pas ce qui est possible.
Je ne sais pas ce qu'il faut faire.

EXERCICE 3

⊙ Tu ne finis jamais.   ⊙ Tu n'as jamais fini.
Tu ne suis jamais.   Tu n'as jamais suivi.
Tu ne réussis jamais.   Tu n'as jamais réussi.
Tu ne dis jamais.   Tu n'as jamais dit.

Tu ne ris jamais.   Tu n'as jamais ri.
Tu ne souris jamais.   Tu n'as jamais souri.
Tu ne faiblis jamais.   Tu n'as jamais faibli.
Tu ne fuis jamais.   Tu n'as jamais fui.

⊙ Tu nø comprenais jamais mon nom.
Tu nø comprenais jamais les cours.
Tu nø comprenais jamais l'explication.
Tu nø comprenais jamais les plaisantøries.

Tu nø comprenais jamais cø qu'on disait.
Tu nø comprenais jamais cø qu'on voulait.
Tu nø comprenais jamais cø qui arrivait.
Tu nø comprenais jamais cø qui sø passait.

EXERCICE 4

⊙ Vous nø mangez rien.　　　　Vous n'avez rien mangé.
Vous nø chantez rien.　　　　Vous n'avez rien chanté.
Vous nø trouvez rien.　　　　Vous n'avez rien trouvé.
Vous nø remarquez rien.　　　Vous n'avez rien rømarqué.

Vous nø demandez rien.　　　Vous n'avez rien dømandé.
Vous nø commandez rien.　　 Vous n'avez rien commandé.
Vous nø fermez rien.　　　　 Vous n'avez rien fermé.
Vous nø décidez rien.　　　　Vous n'avez rien décidé.

⊙ Vous nø voyez rien sur la table.
Vous nø voyez rien sur la neige.
Vous nø voyez rien sur la carte.
Vous nø voyez rien dans lø tiroir.

Vous nø voyez rien dans lø salon.
Vous nø voyez rien dans lø bureau.
Vous nø voyez rien sous lø lit.
Vous nø voyez rien sous lø paquet.

EXERCICE 5

⊙ On ne soutient personne. | On n'a soutenu personne.

On ne voit personne. | On n'a vu personne.

On ne reçoit personne. | On n'a reçu personne.

On ne connaît personne. | On n'a connu personne.

On ne fréquente personne. | On n'a fréquenté personne.

On ne demande personne. | On n'a demandé personne.

On ne recommande personne. | On n'a recommandé personne.

On ne favorise personne. | On n'a favorisé personne.

⊙ On ne voit personne le matin.

On ne voit personne le dimanche.

On ne voit personne en hiver.

On ne voit personne en août.

On ne voit personne après huit heures.

On ne voit personne dans la rue.

On ne voit personne sur le trottoir.

On ne voit personne sur la place.

176

EXERCICE 6

La conjonction de négation ni *est dite la plupart du temps sur un ton légèrement montant, alors que la conjonction* et *est dite généralement sur un ton plat.*

⊙   *Ex. :* Elle a besoin dø vous et dø moi.

4 _____

3 _____ vous _____

2 ____ Elle a besoin dø ____ et ____

1 _____ dø moi _____

⊙   *Ex. :* Elle n'a besoin ni dø vous ni dø moi.

4 _____

3 _____ ni _____ ni _____

2 ____ Elle n'a besoin ____ dø ____ dø ____

1 _____ vous ____ moi _____

Faire l'exercice suivant en tenant compte de cette remarque et en imitant l'enregistrement.

⊙

Elle a faim et soif.	Elle n'a ni faim ni soif.
Elle a froid et sommeil.	Elle n'a ni froid ni sommeil.
Elle a des chiens et des chats.	Elle n'a ni chien ni chat.
Elle a des poules et des lapins.	Elle n'a ni poule ni lapin.
Elle reçoit des lettres et des journaux.	Elle ne reçoit ni lettres ni journaux.
Elle parle anglais et espagnol.	Elle ne parle ni anglais ni espagnol.
Elle joue du piano et du violon.	Elle ne joue ni piano ni violon.
Elle lit Stendhal et Malraux.	Elle ne lit ni Stendhal ni Malraux.

LEÇON 44

Les subordonnées

LES SUBORDONNÉES RELATIVES

Souvent une subordonnée relative a une valeur d'adjectif. Du point de vue intonatif, elle pourra donc être assimilée à un adjectif, c'est-à-dire que l'on pourra considérer qu'elle ne fait qu'un groupe avec son antécédent. Il sera donc toujours correct de mettre un léger accent tonique secondaire sur l'antécédant, et *aucun accent tonique sur le pronom relatif.* L'accent tonique principal du groupe sera sur la dernière syllabe de la proposition subordonnée relative.

Ex. : Le train que je veux prendre est direct jusqu'à Paris. Dans cette phrase, l'expression « que je veux prendre » détermine l'antécédent *train*. Il y aura donc un accent tonique secondaire sur le mot « train », aucun accent sur le pronom *que*, et un accent tonique principal sur la dernière syllabe de la subordonnée, c'est-à-dire sur la syllabe « prendre ».

⊙

4		
3	prendre	
2	Le train que jé veux	est direct jusqu'à
1		Paris

EXERCICE I

L'exercice suivant présente une série de phrases simples avec des propositions relatives. La fin des relatives est marquée d'une flèche montante, indiquant que la voix doit monter sur cette syllabe. Les travailler avec l'enregistrement.

⊙ Le thé que tu as bu vient de Chine.
Le tapis que tu as vu vient d'Iran.
L'avion que tu prendras part à 19 h 29.
La machine à écrire que tu m'as prêtée fait trop de bruit.
Les ouvrières que tu as vues travailler sont toutes spécialisées.
Les danses que tu as vues ont été exécutées par une troupe chilienne.
Le cours que tu as suivi a été publié en 1962.
Ces malades que tu crois incurables seront guéris dans un an.

EXERCICE 2

Si la subordonnée est finale, il y a un accent tonique secondaire sur le mot le plus important qu'elle contient, et un accent tonique final sur la dernière syllabe.

⊙ C'est celui qui a battu le record du monde.

C'est celui qui a sauté 4 m 40 à la perche.

C'est celui qui a été battu à la nage par un Japonais.

C'est celui qui a gagné les Mille Miles à Monza.

C'est celui qui est capitaine de l'équipe australienne.

C'est celui qui est champion des poids et haltères.

C'est celui qui est premier dans les courses contre la montre.

C'est celui qui s'est tué aux Vingt-quatre Heures du Mans.

LES SUBORDONNÉES CONJONCTIVES

Les subordonnées conjonctives, contrairement aux subordonnées relatives, ne forment pas un seul groupe d'idée avec la partie principale de la phrase ; elles ne sont pas rattachées à un antécédent. Ce sont des sortes de complément de cause, de but, de condition... qui forment un groupe rythmique indépendant.

Les subordonnées conjonctives doivent donc être dites avec l'intonation d'un groupe rythmique, sans tenir compte de la conjonction de subordination proprement dite. (Se reporter à la leçon 1, sur les groupes rythmiques, p. 2.)

La dernière syllabe de la subordonnée conjonctive sera montante si elle n'est pas finale.

⊙ *Ex. :* Puisqu'il est là, profitons-en.

4			
3		là	
2	Puisqu'il est	profi	
1			tons- en

⊙

4			
3		mande	
2	Elle de	que ce soit	
1			vite fait

La dernière syllabe de la subordonnée conjonctive sera descendante si elle est finale.

Les exercices suivants présentent des phrases simples avec des propositions conjonctives.

EXERCICE 3

Je crois que ça va marcher.
Je sais que ça va mal.
J'espère que ça va mieux.
Je pense que ça va aller.

J'exige que ça aille plus vite.
Je demande que ça parte tout de suite.
Je préfère que ça soit trop grand.
Je doute que ça soit juste.
Elle ne viendra pas puisqu'on n'a pas téléphoné.
Elle n'écrira pas, puisqu'elle n'a pas l'adresse..
Elle n'en mangera pas, puisqu'elle n'aime pas ça.
Elle ne travaillera pas, puisqu'elle n'en a pas le droit.

EXERCICE 4

Dès que vous arriverez, on ira.
Dès que vous voudrez, on appellera.
Dès que vous trouverez, on commencera.
Dès que vous sonnerez, on viendra.

Il veut partir, tandis que moi je veux rester.
Il est triste, tandis que moi je suis gai.
Il est grand, tandis que moi je suis petit.
Il a bon caractère, tandis que moi non.
On vous le prêtera, à condition que vous ne l'abîmiez pas et
que vous le rendiez demain.

On vous le dira, à condition que vous promettiez le secret et que vous nous aidiez.

On vous le trouvera, à condition que vous soyez patient et que vous y mettiez le prix.

On vous guérira, à condition que vous suiviez le régime et que vous soyez raisonnable.

LES SUBORDONNÉES INFINITIVES ET PARTICIPES

Elles forment, elles aussi, un groupe rythmique à part, qui a une fonction grammaticale indépendante dans la phrase.

   Ex. : Pour travailler, j'ai besoin de silence.

« Pour travailler » représente ici une idée complète, qui est complément de but de la principale « J'ai besoin de silence ».

   Ex. : En rentrant chez moi, j'ai trouvé du courrier.

La subordonnée participe « en rentrant chez moi » est un complément circonstanciel de la principale « j'ai trouvé du courrier ».
Les propositions infinitives et participes étant placées au début des phrases, leur voyelle finale monte. Si la subordonnée est finale, le ton descend sur la dernière syllabe. Les deux possibilités sont données sur l'enregistrement.

EXERCICE 5

Pour voyager par avion, elle aimerait mieux une valise de toile.

Pour sortir le soir, elle voudrait un manteau de satin.

Pour assister au match de football, elle pourrait mettre des bottes.

Pour danser après le réveillon, elle devrait avoir des escarpins.

En allant à l'école, ils s'amusent dans la rue.

En entrant dans la classe, ils saluent le maître.

En apprenant leur leçon, ils pensent à autre chose.

En attendant leur mère, ils jouent à cache-cache.

LEÇON 45

Les propositions incises

DÉFINITION / Une proposition incise (on dit aussi une proposition intercalée) est un mot ou un groupe de mots qui ne fait pas vraiment partie de la phrase. Cela peut être une explication, une précision, un doute, une supposition, etc., qui est intercalé dans la phrase.

> *Ex. :* Il est venu, je crois, pour vous parler.

Si on supprime « je crois », il reste la phrase « il est venu pour vous parler », qui est parfaitement correcte et compréhensible. « Je crois » est une incise de supposition. Du point de vue intonatif, il suffira d'insérer l'incise dans le schéma mélodique normal de la phrase, sur un plan beaucoup plus bas.

⊙   *Ex. :* Il est venu pour vous parler.

```
4  _____
3  _____nu_____
2  _____Il est ve̸____pour_____
1  _____vous_____
                                parler
```

⊙   *Ex. :* Il est venu, je crois, pour vous parler.

```
4  _____
3  _____nu_____
2  _____Il est ve̸_____pour_____
1  _____vous par
                  je crois                ler
```

Les exercices suivants présentent des phrases avec des incises *(en italiques)*, qui devront être dites sur un ton plus bas que l'ensemble de la phrase.

EXERCICE 1

⊙ Leur fils, *le plus jeune*, a eu un accident.

Le metteur en scène, *vous vous en doutez*, a fait de nombreux courts métrages.

Je viendrai vers six heures et demie, *si ça vous arrange*, pour vous aider.

Prends mon carnet, *le jaune*, sur mon bureau.

Elle viendra demain, *à moins qu'elle ne puisse pas*, pour vous parler de sa thèse.

La vedette du film, *une Suédoise*, a reçu le prix du festival.

C'est ta mère, *il me semble*, qui a téléphoné.

C'est demain, *puisqu'ils y sont obligés*, qu'ils partiront.

EXERCICE 2

Quelquefois, on considère comme une incise un élément de la phrase qui n'est pas à sa place normale. En effet, on admet que l'ordre normal dans la phrase française est le suivant : sujet + verbe + complément direct d'objet + complément indirect d'objet + compléments circonstantiels.

Ex. : Sa sœur / tape / le courrier / pour le directeur

sujet / verbe / complément / complément
direct d'objet   indirect d'objet

/ dans le nouveau service / depuis un mois.

complément   complément
circonstanciel   circonstanciel
de lieu   de temps

Cette phrase peut être dite de la façon suivante :

Sa sœur / *depuis un mois* / tape / le courrier
sujet / *complément* / *verbe* / *complément*
circonstanciel *direct*
de temps *d'objet*

/ pour le directeur / dans le nouveau service.
/ *complément* / *complément*
indirect d'objet *circonstanciel de lieu*

Dans ce cas, le complément circonstanciel de temps est déplacé entre
le sujet et le verbe, on le dit alors sur un ton plus bas.

⊙ Il pourra manger, *plus tard en se réveillant,* un potage léger et un fruit.

Cet avion transporte, *au minimum,* soixante passagers.

Elle a fait cuire, *en nous attendant,* un poulet et des pommes de terre.

Il a répondu, *sans amabilité,* que ça ne le regardait pas.

C'est lui qui, *après cette décision,* veut partir.

J'aime mieux, *sans aucun doute,* le faire moi-même.

Donnez-lui, *dès que vous serez rentrés,* deux comprimés d'aspirine.

Et j'irai, *s'il le faut,* le lui dire moi-même.

Imprimé en France Par l'Imprimerie Moderne de l'Est - 25110 Baume-les-Dames
Dépôt légal n° 9322-06/1988 - Collection n° 90 - Edition n° 11
15/4541/7